ディズニー ありがとうの神様が教えてくれたこと

Disney; What the Guru of Thankfulness Taught Me

鎌田 洋

Kamata Hiroshi

ディズニーランドは
お金儲けのために
始めたのではない。
愛のために始めたのだ。

――ウォルト・ディズニー

〝ありがとうの神様〟再会の日

２０１１年4月15日。

少し遅咲きだったパークの桜が、春風とのダンスを楽しむかのように舞っている。入門ゲート前に並ぶゲストたちの列も、どことなく浮き立っている。

一見、いつもと変わらない開園前の光景。でも、この日は少しばかり様子が違っていた。

「早くミッキーに会ってありがとうって言いたい」

「あのキャストのおねえさんの笑顔に会いたい」

多くのゲストが、そんな想いを抱きながら開園時間を待ちわびていたのだ。

開園を心待ちにしていたのはゲストだけではない。〝心はひとつ〟と記されたチャリティリストバンドを付け、胸の高鳴りを抑えられないでいるキャストたちも同じ。

節電のために照明を落とし、いつもはキラキラと水しぶきを上げている噴水も止まったままだったが、そんな状況を忘れさせるぐらいの期待と喜びがパークを取り囲んでいたのだ。

あの大震災から約1カ月。復旧のために休園していた東京ディズニーランド再開の日。ゲートが開くと、キャストも久しぶりの友人との再会のように、満面の笑顔でゲストを出迎える。パークのあちらこちらで、キャラクターたちと抱き合い、喜び合うゲストの姿。

この日、全国からパークにやってきたゲストの中には、パークで大震災に遭遇《そうぐう》し、不安な時間を過ごした人も少なくなかった。

交通機関も寸断され、陸の孤島になったパークで震えるような気温の中、夜を明かした人もいた。だが、もしも、そのときに辛い経験をしていたら、いくらディズニーが大好きでも、こんなふうに東京ディズニーランド再開の日に駆《か》けつけたりはしないだろう。

多くの人がこの日のために朝早くから開園を待っていたのには訳があった。

その訳とは、「ありがとう」を伝えるためだ。

同じ人間として、あれほどの震災で恐怖を感じないはずがないにもかかわらず、不気味な音と揺れの中、ゲストを包み込むような行動で「安心を与えてくれた」キャストに対して、どうしても「ありがとう」が言いたい。

あるゲストは、そう語った。

キャストもまた、同じ気持ちだった。ゲストの多くが、大きなパニックにもならず、押しつぶされそうな不安の中、キャストに家族のような信頼を寄せてくれたことに、そしてこの日を心待ちにしてくれていたことに「ありがとう」の気持ちでいっぱいだった。

人と人が信頼し合い、互いの温もりを必要とし、かけがえのない存在であることに素直に「ありがとう」と言える。それは、多くの人が忘れていた人間本来の姿だった。

あの大震災当日。東京ディズニーランド、東京ディズニーシーで起こった〝奇跡〟は、やがて人から人へと伝わり、多くのメディアにも取り上げられた。

やっぱりディズニーランドはすごい。多くの人がそんなふうに感想をもらした。けれど、未曾有《みぞう》の事態の中で、いったいどうして、ゲストとキャストの双方が「ありがとう」と言いたくなるような絆《きずな》で結ばれたのか。

その様子をずっと見守っていたのが〝ありがとうの神様〟だったということを、どれだけの人が気づいていただろうか。

そう、東京ディズニーランドの再開は、ゲストとキャストたち、そしてディズニーの〝ありがとうの神様〟との「再会の日」でもあったのだ——。

はじめに――日本でいちばん「ありがとう」が生まれる場所

これから始まる物語は、ディズニーランドの「ハピネス（幸福感）」が生まれる場所に、みなさんをご案内します。

本書は、東京ディズニーランドの初代ナイトカストーディアル（夜間の清掃部門）スーパーバイザーとして、ディズニーのクオリティサービスを試行錯誤でつくりあげ、その後、ディズニー・ユニバーシティ（教育部門）にて全スタッフの育成指導に携わった私の体験を元にした「ありがとうの神様」にまつわるふしぎな物語です。

２０１３年４月。東京ディズニーランドは開園30周年を迎えました。

その歴史の中で、多くのゲストに、夢と魔法がもたらす「ハピネス（幸福感）」を届けてきました。

今回お届けする３つの物語では、「なぜ、これほど多くの人がディズニーランドで過ごす時間や思い出に特別なハピネス（幸福感）を抱くのか」という、ディズニーで最も大切にされている秘密を追いかけていきます。

たとえば、ディズニーランドにはゲストからのたくさんの手紙が届きます。キャストの思いもよらない心遣いや行動に感動し、そのことを「ありがとう」の気持ちと共にしたためたものも少なくありません。

そうした手紙が社内報などに掲載され、自分たちの行動がゲストにハピネスを提供したことを実感したキャストは「ありがとう」の気持ちで満たされます。

また、パーク内での、そうしたキャストのすばらしい行動に対して、仲間のキャストや上司が称賛の気持ちを表す「スピリット・アワード」や「ファイブスタープログラム」「サンクスデイ」などのリコグニション（認める）という制度も、キャストの互いの絆《きずな》に「ありがとう」という気持ちを芽生えさせます。

それだけはありません。パークを訪れるゲストが、家族や大切な人の存在に改めて「ありがとう」を伝えたり、忘れられない1日になったことに「ありがとう」の想いを表したりしているのです。

いったい、なぜ、こんなにもいろんなかたちの〝ありがとう〟がディズニーランドで生まれているのでしょう。

そのことを教えてくれるのが、ディズニーの『ありがとうの神様』です。

「人生の素晴らしい瞬間というのは、自分一人のためよりも、愛する者たちのために行ったことに結びついている」

——ウォルト・ディズニー

ウォルトは、かつてそう語りました。その言葉と想いは、いまもパークを巡りながら、『ありがとうの神様』と共に、いつもゲストとキャストのことを見守っているのです。

ディズニーランドで大震災に遭遇《そうぐう》したゲストが、なぜ「ありがとう」をミッキーなどのキャラクターたちやキャストに伝えたくて、再開を心待ちにしていたのか。

どうして、ここまで人々は自分にもみんなにもイノセンス（純粋無垢）になれるのか。

なぜ、ディズニーランドは、日本でいちばん「ありがとう」が生まれる場所なのか。

そして、『ありがとうの神様』が本当に伝えたかったこととは——。

きっと、この物語を読み終わったとき、その答えがみなさんの心の中に届けられるでしょう。そして、大切な人のことを想い〝ありがとう〟を伝えたくなるはずです。

さあ、それでは開園です。

2013年4月

鎌田　洋

目次

〝ありがとうの神様〟再会の日　2

はじめに　日本でいちばん「ありがとう」が生まれる場所　5

第1話　虹色のミッキー　10

第2話　真冬の桜ふぶき　78

第3話　絆の糸電話　144

おわりに　〝ありがとうの神様〟から託されたもの　222

第１話

虹色のミッキー

それは、ハートのような新芽が、初々《ういうい》しく葉を広げた春だった。

パーク中央の広場でも、オリーブの枝先から、黄緑色の小さな葉が顔を出している。

そんな若葉のごとく、この春、ディズニーランドにも新たなキャスト（従業員）が期待を胸に入社してきた。

ゲスト（お客様）を幸せにするため、満面の笑顔で……のはずが、なにやら浮かない顔のキャストがいる。

まるで、大海原にポツンと置かれた船のように、どことなく寂し気な顔をしている。

ここは夢の国 ディズニーランド。いかなる時も、ゲストに不安を与えるようなことはあってはならない。

そのためには、まずキャスト自身が心から笑顔でいなければ……。

しかし、その新人キャストには、ある大きな悩みがあったのだ。

それは、とてつもなく深く、簡単に解くことはできない問題だった。

1992年3月

出逢いと別れの3月、ディズニーランドでは毎年恒例の研修が行われる。

研修1日目のオリエンテーションでは、新人キャストに対してディズニーランドの歴史や理念、基本的なサービスの在り方を教えるのだが、もちろんただの勉強会ではない。

ゲストをもてなすための第一歩は、まず「もてなされること」である。

そのため、オリエンテーションでは、新人キャストにコーヒーや紅茶をもてなすのだ。

新人キャストが座る椅子《いす》も、折りたたみのパイプ椅子ではなく、まるで一人掛けのソファのような、革張りの椅子を使用するのだ。

教育責任者となって3回目の春を迎える僕は、準備の確認も含め、インストラクターよりひと足先に、オリエンテーションが行われる会場へ向かった。

会場に入ると、入社2年目となる村上が、椅子をそろえながら話しかけてきた。

「金田さん、お疲れさまです。今年も、たくさんの応募があったそうですね」

「そのようですね。新しい仲間は僕たちの家族です。心から受け入れてあげましょう」

「はい！　それにしても、オリエンテーションにどうしてコーヒーメーカーなどが必要なんですか？」

去年、村上自身がオリエンテーションに参加した時も、先輩キャストからコーヒー

や紅茶を出されたり、ハリウッドスターが歩くような赤いジュータンが敷かれている
のを見て、とても不思議な気持ちになったとのこと。
僕は、逆に「どうしてだと思う?」と、村上に質問をしてみた。
すると彼は、まるで有名な彫刻のようなポーズで考えたのち、こう答えた。

「辞められたら困るから……ですかねぇ」

村上の回答は、とても素直な考え方だった。
確かに、それも不正解ではない。けれども、オリエンテーションで新人をもてなす
理由は、もっとシンプルなものなのだ。

「村上さん、新人キャストは、未来のゲストでもあるんです」
「新人キャストが、未来のゲスト……?」
「はい、若いキャストたちがいずれ結婚し、家族を持ち、子どもを授《さず》かったら、きっ

とディズニーランドを訪れることでしょう。その時は、キャストとそのご家族全員が大切なゲストとなります。だから、未来のゲストをもてなすことは、自然なことなんですよ」

「確かに、言われてみればそうかもしれませんが、ディズニーランドに勤めたキャストが、みんな良い印象のまま辞めていくとは限らないんじゃ……」

「もちろん、その考え方も間違いではありませんね。だからこそ、会社は従業員を大切にしなければいけないんです。新人キャストを心から歓迎し、精一杯のおもてなしをすることで、新人キャストはもてなされることを体感します。そして自分がされたようにゲストをもてなすのです。そうすると、今度はゲストにかけがえのないおもてなしをもらうんですよ」

「かけがえのないおもてなし？」

「ええ、ゲストの笑顔です。時には『頑張ってね』と声をかけてくれるゲストもいるでしょう」

「あ、僕もゲストに声をかけられたことがあります。寒いのにお疲れさま……と」

「ね？　嬉しかったでしょう？　だから、新人キャストに一番最初に教えることは『もてなされることを体感してもらうこと』なんです。未来のゲストでもあり、僕らの新しい家族でもあるわけですから。『よく来てくれたね、待ってたよ』という思いで、迎えてあげましょう」

村上とそんな話をしながら準備を進めていると、早速、新人キャストと思われる青年が会場へ入ってきた。

「あの……オリエンテーションって、ここでいいんですか？」

コーヒー豆の香りが漂う会場に、恐る恐る足を踏み入れた新人キャストは、不思議そうな顔でそう尋《たず》ねてきた。

すると、村上は張り切って「はい、いいんです！　ようこそ、ディズニーランドへ」と新人キャストを歓迎した。

僕は、素直な村上が愛おしく感じた。そして、これから家族となる新人キャストに「初めまして、よく来てくれたね」と僕も声をかけた。

しかし、その新人キャストは笑顔ひとつ見せることなく、一番後ろの席に腰かけた。

どことなく不機嫌にも見えるその青年の隣に座り、僕は改めて挨拶《あいさつ》をした。

「こんにちは。誰よりも早く着くなんて、優秀ですね」

「別に、たまたま着いちゃっただけですよ」

青年は、変わらず無表情のままそう答えた。

「だとしても、一番乗りに変わりはない。なかなか真似のできることではないと思いますよ」

僕は、心の底からそう思った。しかし、彼自身は褒《ほ》められているという意識はあまりないようである。もしかしたら、これから始まる研修に対して、何か心配事があるのだろうか。ひとまず、僕は彼の名を聞くことにした。


「僕は、教育責任者の金田と言います。君の名前は？」

「足田……勝《まさる》です」

「では、勝さん。コーヒーがいいですか？　それとも紅茶がいいですか？」

「は？」

「冷たいものがよければ、ウーロン茶も用意してありますよ」

「あの……、今日ってオリエンテーションですよね？」

「ええ、そうです」

「どうして喫茶店みたいにコーヒーや紅茶が出るんですか？」

「それは、君たちは今日から家族になるからです」

「家族？」

「はい、家族です。ディズニーランドの研修は、従業員を家族のように扱うことから始まるんです。君自身が、心から笑顔でいることによって、ゲストを幸せにすることができるんですよ」

「そんな簡単に……」

「……？」

「そんな簡単に、家族とか言わないでください」


僕は、少々驚いた。

どうやら勝は、これから始まる研修に対して不安を抱いているのではなく、おそらく何か別のものに対して、特別な感情を持っているのかもしれない。

そして、勝が抱くその特別な感情は、彼の中で簡単にほどくことはできない心の結び目となっていたのだ。


——1カ月前——

「勝、ちょっとここに座りなさい」

それは、リビングのソファに横たわり、ペラペラと雑誌をめくっている時だった。いつもは、しつけらしいことを父親に任せている母親が、今日は強い口調で僕に話しかけてきた。

「高校を卒業してからもうすぐ1年が経つのに、そんな風に毎日ダラダラしてて大丈夫なの？」

僕は、この「大丈夫なの？」と聞かれることが嫌いだ。

大丈夫か大丈夫じゃないかなんて、いったい何を基準に決められるんだろう。

けれども、いちいち本当のことを言うと、説教が長引いて面倒となるため、僕は決まってこう答える。

「大丈夫だよ」

とはいえ、そんな説得力のない回答に、母は納得するわけもなく……。

「本当？　ちゃんと人の役に立つ人間にならなきゃ……。家族なんだから、なんでも相談してよね」

これも、母親の口癖《くちぐせ》である。

母親は、週末になると近所の小学校などを回り、読み聞かせのボランティアをしている。

そんなのは「いい人」と思われるための偽善《ぎぜん》だと僕は思う。何より、僕を養子として引き取ったのも、きっと世間から「いい人」だと思われたいからではないだろうか。

そう、僕と両親は血がつながっていない。

5歳まで児童養護施設で育った僕は、子どもが授からなかったという今の両親に、引き取られたのだ。

だから、「家族なんだから」なんて言われても、そんなの〝家族ごっこ〟に過ぎない。

幼稚園の頃、「家族」について連想ゲームをした時に、みんな「笑顔」とか「幸せ」とか「温かい」とか絵本みたいなことを言っていて、本当につまらなかった。

とは言っても、あわれに思われるのが嫌で、幼いながら無理に明るくしていたのを覚えている。

だから、両親が施設を訪れた時も、僕は精一杯の笑顔で挨拶したんだ。

でも、心から笑ったことなど一度もなかった。自分が親に捨てられたということを認識してから、一度も……。

そんなことを思い返しつつ、雑誌をペラペラめくっていると、「ディズニーランドキャスト募集」という一面を見つけた。

時給もよかったし、お金を貯めて早くこの家を出ようという思いがよぎった。

そして翌日、早速、履歴書《りれきしょ》を書いて郵送した。


――1カ月後――


ディズニーランドの面接を通過した僕は、3月から始まる研修に参加することとなった。

作り笑顔には自信があったし、それなりの回答を笑顔で答えたため、面接官に好印象を与えたのだろう。

とにかく、手っ取り早くお金を稼げればそれでいい。

それだけでよかったのに、研修初日のオリエンテーションで、教育責任者の金田という人から面倒なことを言われた。

『ディズニーランドの研修は、従業員を家族のように扱うことから始まるんです』

……と。

そんな簡単に誰もが家族になれたら、苦労などいらない。

しかも、ゲストを幸せにするのがキャストの仕事……とも言われた。

僕は、お金さえもらえればいいんだ。そのためなら、掃除でもなんでもやる。でも、誰かを幸せにすることなど、こんな僕にできるはずがない。

ましてや、僕自身が心から笑顔になるなんて、そんなことは奇跡だと言える。

しかし、簡単に辞めてしまったら、両親にまた面倒なことを言われる。

僕は、教育責任者の金田から出されたコーヒーを飲み干し、ハピネスに関する退屈な講義を受けた。

研修3日目

今年の新人キャストは、とても真面目な子が多く見受けられる。

ディズニーランドのキャストになることは、子どもの頃からの夢だったという子もいれば、一人暮らしをしながら専門学校に通っているものの、まっすぐ帰ることに寂しさを感じ、にぎやかなディズニーランドで働こうと思った……など、それぞれまっすぐな意志を持って応募してきてくれた。

また、様々な部門の中でも、カストーディアル（清掃員）の仕事は人気があり、今年もかなりの応募があったという。

その中の一人に、19歳の足田勝もいた。

希望通りカストーディアル部門に配属された彼は、みんなと同じようにとても真面目に研修を受けている。

ただ、1つだけ違うのは、相変わらず笑顔がない……ということ。

いや、笑顔がないというより、心から笑っていないと言った方が正しいだろう。

しかし、人とのコミュニケーションが苦手なようにも感じない。

周囲とのやり取りを見ていると、数が限られた器具などを譲り合ったり、他の研修生がやり忘れたことを自然とフォローしたり、人間関係に大きな問題があるとも思えない。

僕は、元々カストーディアル出身であることから、同じくカストーディアルに配属された勝のことが気になっていた。

笑顔がどこか不自然に感じるのは、もしかすると僕の思い違いかもしれないが、そもそも勝がどうしてディズニーランドで働こうと思ったのか、小さな疑問を抱いた。

カストーディアルの新人研修に顔を出したのち、人事部のキャスト採用セクションへ行き、勝の履歴書を特別に見せてもらった。

アルバイトの経歴や志望動機に目を通したものの、これと言って変わったことは書かれていない。

応募の動機は「一人暮らしをするための資金を貯めたいから」と、いたってシンプルな内容である。

研修初日に見せた、あの反発的な態度は、たまたま虫の居所が悪かっただけなのだろうか。

そうは言っても、実際にゲストと触れ合う日が来たら、今のままの彼の表情ではゲストを幸せにすることなど到底できない。

何より、勝自身にも笑顔になってもらいたい。

3日目の研修を終えた勝を、僕は相談室に呼んだ。

「疲れているところ、呼び出して悪かったね。さ、ソファに座って」

「はい」

紺《こん》色のジャンパーにチノパンといった、とても素朴な服装の彼は、笑顔さえあればごく普通の19歳である。

時折見せる作り笑いが、彼自身を苦しめているのかもしれない。もし、何か原因があるならば、共に解決したいと僕は思った。

「勝さん、お疲れさまでした。今日で3日が経つけど、だいぶ慣れましたか？」

「ええ、まぁ」

相変わらず、素っ気ない返答である。

そこで、僕はこんな質問をしてみた。

「そういえば、君の夢って何かな？」

「夢……ですか？」

「ええ、夢です」

「……ありますけど、答えたくありません」

「どうして？」

「……」

勝は、そのまま黙ってしまった。

しかし、「ある」という答えを聞いて、僕は少しホッとした。どんな夢であろうと、希望を持っている証拠だ。希望があれば、いかなる試練や困難も超えることができる。

「もちろん、言いたくなければ言わなくていいんですが……」

「言いたくないというか、ちっぽけなことだから……」

「ちっぽけなこと?」

「みんなにとっては、当たり前のことっていうか……」

「そうでしたか、でも、当たり前のことを『夢』と言えるのは、とても素晴らしいことだと僕は思いますよ」

「……?」

「だって、みんなが気づいていないことを、勝さんは大切なことだと気づいているわけですから。それに、夢があるだけで希望も持てる。叶えることに意味があるのではなく、夢を持つことに意味があると僕は思うんです」

「そんなの……綺麗ごとだと思います」

「確かに、綺麗ごとと言われれば、そうかもしれません。ただ、叶えたいと思う気持ちがあれば、必ず叶えられるんです」

「金田さんは、幸せだからそんなことが言えるんだと思います。普通の幸せを持ってるから」

「普通の幸せ？」

「はい、僕は……この世に必要とされずに生まれたんです」

「……！」

1976年11月

それは、秋から冬へ移り変わることを知らせる、冷たい風が吹く夜だった。

児童養護施設の園長を務める私は、14人の子どもたちの親代わりとして、慌ただしい日々を過ごしている。

親というより、もはや子どもたちの「おばあちゃん」と言っても過言ではない年齢だが、忙しさに追われているうち、あれよあれよと日々が過ぎていた。

そんなある夜、夕食をすませ、お風呂に入るよう子どもたちを促《うなが》していると、窓の外に小さな男の子がいると、一人の子どもが言った。

私は、こんな夜にそんなはずは……と疑いつつ外へ出てみると、水色のトレーナーを着た3歳ほどの男の子が、施設の入り口にしゃがみこんでいた。

「ぼく、お名前は？」

「まーくん」

「まーくん……？　まさおくんかな？　まさひこくんかな？」

「ううん、まーくん」

きっと同年代の子たちとのコミュニケーションを取っていなかったのだろう。誰かに名前を聞かれたり、自己紹介する機会のない環境で育てられたと思われる。

「じゃあ、質問を変えようね。まーくんは、いつからここにいるのかな？」

『まーくん』は、首をかしげながらしばらく考えると、「わかんない」と答えた。

ふと手に触れると、氷のように冷え切っている。

私は、嫌な予感が脳裏《のうり》をよぎった。

ともあれ、こんな寒空の下、薄いトレーナー1枚でいたら肺炎になってもおかしくない。私は、着ていたカーディガンで『まーくん』をくるみ、抱きかかえて施設の中へ戻った。

念のため、警察にも連絡を入れたが、特に似た特徴の子の捜索願いは出ていないとのことだった。

明日になれば、保護者が迎えに来るかもしれない……。そんな期待を胸に、『まーくん』と共に朝を待った。しかし、次の日になっても、その次の日になっても、『まーくん』の親が現れることはなく、そして、身元不明の男児として児童相談所へ引き渡されていった。

それから間もなく、児童相談所の職員と共に、『まーくん』は改めてこの施設を訪れた。私は、新たな家族として心から歓迎した。

『まーくん』の名は、「自分に与えられた境遇に負けないよう、どんな試練も乗り越えてほしい……」という願いを込め、『勝（まさる）』と名づけられた。

勝が幼稚園に通い始めると、「まーくんの家族はどこ？」と聞くようになった。

どうやら、友達と連想ゲームをして遊んでいる中で、家族という言葉が出てきたらしい。

温かい、優しい、幸せ、笑顔……など、触れ合いたくなる様々な言葉を耳にし、改めて自分の家族について考え出したのだろう。

私は、「勝の家族は、ここに住むみんなよ」と言い聞かせたものの、勝は納得せずに泣き出した。決してなぐさめではなく、それは私の本心だったのだが、それを言葉で伝えるのは難しかった。

その夜、私は勝をぎゅっと抱きしめながら眠ってあげた。

そして、いつしか勝は本当の笑顔を失った。

無理に作り笑いをするようになったのだ。

きっと、同情されることのむなしさを、小さいながらに体験してしまったのかもしれない。

しかし、心から笑わなくなったあの子でも、ふと優しい顔で微笑む瞬間があった。

それは、動物と触れ合う時だ。

勝は、どうやら動物が大好きらしい。

とはいえ、施設で動物を飼うことは禁止されている。様々な体質の子と共同生活をしているため、動物の毛にアレルギー反応を起こす子もいるからだ。

そして、勝が施設に来てから2年の月日が流れ、5歳となった冬、近くの公園で捨てられていた子犬を拾ってきてしまった。

もちろん、施設では動物を飼えないことも分かってはいながら、その日は大雨だったため、どうしても置いて帰ることはできなかったという。

とは言っても、規則を破るわけにはいかない。アレルギーを持つ子は、時として命にかかわることにもなりかねないし、例外として扱うことはできなかった。

すると勝は、子犬を抱えたまま雨の中へ飛び出した。

あの日、私が勝を抱えたように、勝は自分のジャンパーの中で子犬をくるみ、飼い主を見つけるまで戻らない……と。

しかし、結局、勝の願いを叶えてあげることはできなかった。

それから半年ほどが経ち、優しいご夫婦とのご縁があって、勝は養子として受け入れられた。

私は、勝の幸せを心から願った。どうか、あの子が心から人と認め合い、許し合い、笑顔となれる日を迎えられますように……と。

＊＊＊＊＊

研修後、金田に自分の過去を話したことを振り返りながら、僕は相談室をあとにした。そして、外へ出ようとすると、パラパラと雨が降り始めた。

少し待てば止むかな…と思い、研修室の近くで雨宿りをしていると、背後から男性が話しかけてきた。

「お疲れさまでした」

振り返ると、僕と同じ年くらいの男性が立っていた。

腰のベルトにはミッキーマウスのキーホルダーを付けていて、相当なディズニーファンだなと僕は思い、差しさわりのない挨拶を交わした。

「あ、お疲れさま……」

すると彼は、笑顔で自己紹介を始めた。

「僕は、坂本雅人って言います。あ、『雅人』でいいです。えーっと……」

「ああ、僕は……足田勝」

「勝君も、研修3日目ですか？」

ずいぶん馴れ馴れしい人だな……とも感じたが、きっとディズニーファンはみんな、周りを家族とかなんとか思っているんだろう。正直、この先ここでやっていけるか、僕は不安になった。


「そうだよ。雅人……君も？」

「はい。僕、ここで働くことが夢だったんです」


僕は、心の中で「やっぱり」と思った。

そして、これ以上話すこともないだろうと思い、僕は雨の中を歩き出した。

すると、雅人も僕の後ろを歩き始め、「駅まで一緒に行きましょう」と言い、さらに「僕、雨が好きなんです。音とか、冷たくて気持ちいいとことか」と言った。


雨が冷たくて気持ちいいなど、一度も考えたこともなかった。

みんなが嫌がることを、そんな風に考えられるなんて、よほど愛されて育ってきた

のだろう。僕は、感じたままの感想を雅人に言った。

「雨が冷たくて気持ちがいいなんて、考えたこともなかったよ」

「それは、たぶん……僕が『普通』じゃなかったからだと思う」

「普通じゃない……って？」

「12歳の時、脳に腫瘍《しゅよう》が見つかって、それまでの生活とか考え方とか全部ひっくり返ったんです」

「……！」


雅人の話によると、その腫瘍を治すために幾度も手術を繰り返し、つらい闘病生活も乗り越え、今年の春まで雅人の叔母が住むカナダで静養していたとのことだ。

壁を感じさせない空気を持っているのは、きっとのびのびとした環境の中で暮らしていたからだろう……と僕は思った。

そんなつらい経験をしていたとは、今の雅人からは想像もつかない。さらに雅人は、信じられない思いを語った。

「病気になった時、僕なんか生まれてこなければよかった……って思ったんです。どうして僕だけが、こんなにつらい目にあうんだろう……って。今まで『当たり前』だと思っていた日常は、決して当たり前なことではなかったのかもしれない……とも思いました。家族と共に食卓を囲むことも、大好きなお母さんの手をぎゅっと握ることも、そんな当たり前こそが、幸せの奇跡なのかもしれない……。そして、そんな当たり前の奇跡は、もう僕には二度と戻らないんだ……って」

状況は違えど、今こんなにも明るい雅人が、僕と同じ考えを抱いたことがあったなんて……。いったい、彼はどうやってその苦い思いから解放されたんだろう。

また、自分の過去を正直に語り、初めて会った人間にここまで心を開ける雅人が、僕はほんの少し羨《うらや》ましく感じた。

重い病魔と闘ってきた雅人のことを、そんな風に思うのは不謹慎《ふきんしん》なのかもしれないけど、でも僕は、素直な雅人の心を羨ましいと思った。

「当時は、何を見ても笑うことができませんでした。でも、再び僕に希望を与えてくれたのが、ここの人たちなんです」

「ここの人って……ディズニーランドのキャストのこと？」

「はい、手術が怖くて逃げ出したかった時、お母さんに『ディズニーランドに連れてってくれたら手術を受ける』ってわがままを言ったら、本当に連れてきてくれて……」

「脳に腫瘍がある状態で……？」

僕は、そんなことが本当にあり得るのかと、疑う気持ちにすらなった。

でも、雅人の話によると、脳に腫瘍がある状態でディズニーランドに来ることは、決して簡単ではなかったという。

看護師に付き添ってもらい、パークの外には救急車に待機してもらうなど、キャストが一丸となって雅人をサポートした……と。

救護部門は、ベッドに寝た状態に近い車椅子を用意してくれ、フード部門は、雅人が食べられるものを取りそろえてくれ、ショップ部門は、あらかじめ雅人のお気に入りの商品があるお店を調べておいてくれ、セキュリティ部門は、雅人が行きたいところすべて回れるよう、最短距離の順路を考えてくれた……と。

全キャストが一丸となり、雅人の希望のかけ橋となったことで、雅人は心からの笑顔を取り戻し、そして『今』という未来を生きている。

「ディズニーランドで奇跡が起きた」のではなく、『ディズニーランドが奇跡を起こした』と言っても過言ではない。

さらに、雅人は雨が好きな理由を語り始めた。

「ようやく退院することとなった日、雨が降ったんです。みんなは『あいにくの雨ね』って言ってたけど、僕は最高に嬉しかった……」

「……どうして？」

「それまでずっと病室から見ることしかできなかったから、雨を感じることができる！　って……。雨にあたった時、『ああ、僕は生きてるんだ』と思えたんです」

「それで、ここで働こうって思ったわけだ」

「はい、自分がしてもらったことを、今度はゲストにしてあげたいと思って……」

「ゲストに？」

　雅人は、はにかみながらうなずき、こう言った。

「人は、生きてるだけで価値があるんだってことを、おもてなしの仕事を通して伝えられればな……って。来てくれてありがとう、出会えてありがとうって、ゲスト一人一人に伝えたいんです」

　僕は、自分の動機が恥ずかしくなったと共に、かたよった目で見ていたのは、僕も同じだったということに気づいた。

歩んできた道も環境も違うが、気兼ねのない話し相手ができ、僕は嬉しかった。

雅人となら、傷のなめ合いではなく、感じたままの話をすることができるかもしれない……と思った。

1992年4月

新人研修を無事に終え、2週間が過ぎた。

どうにか一通りの仕事を覚え、ゲストとの触れ合いにも少しずつ慣れてきた。

しかし、元々ディズニーランドが好きで入ってきた新人キャストのように、ゲストを幸せにしたい……とか、笑顔にしたい……という感情は、特に湧《わ》いていない。

すると、夕方5時を過ぎる頃、教育責任者の金田から緊急事態の知らせが入った。

なんと、家族と来ていた9歳の「ひとみちゃん」という女の子が、迷子になっているとのこと。

ディズニーランドでは、現実の世界に引き戻されないよう、迷子のアナウンスを行っていない。そのため、キャストが無線で連絡を取り合いながら、この広いパークで迷子を捜さねばならないのだ。

しかも、その女の子はぜんそくの持病があるにもかかわらず、すでに薬の時間が過ぎているという。

女の子の両親は、祈る思いで探し回っているとのことだ。

命にかかわる緊急事態に、キャストたちは全力でその女の子を探すこととなった。

そして30分ほど経った時、雅人と共に捜索していた僕は、ファンタジーランドにあるレストランの脇で、しゃがみこんでいる女の子を見つけた。

「どうしたの？　具合でも悪いの？」

すると女の子は、僕の質問に答えることなく、息苦しそうに胸を押さえている。

「きみ、ひとみちゃん……？」

しゃがみこんでいる女の子は、コクンとうなずいた。

薬を必要としている時間を過ぎているため、ぜんそくの発作《ほっさ》が出てしまったのだ。

「どうしよう……」

僕の後ろで、雅人が心配そうにしている。

救護室には、携帯吸入器などぜんそくに対する応急機器が用意されているはずだが、ここから一番近い救護室までは少なくとも100メートル以上ある。こんな状態でこの子を移動することは、絶対に危険だ。施設でもぜんそくの子がいたため、何度か発作を起こしている事態を僕は見かけたことがあった。

「救護室に連絡を入れてナースに来てもらおう。この子を歩かせるのは危険すぎる……」

雅人に無線でナースを呼んでもらっている間に、僕はひとみちゃんをそっとレストランの中まで連れて行った。
すると、その様子を見ていた女性キャストが、近くにあった椅子を並べ、ひとみちゃんを横にさせてあげようとした。

「ちょっと待って！」

その声は、雅人だった。
いつもの穏やかな雅人からは、想像もつかないくらい切羽詰《せっぱつ》まった声だった。
そして雅人はこう言った。

「発作を起こしている時は、気管がせまくなっているから、体を横にするとさらに息苦しくなるんです。だから、椅子に座らせてあげましょう」

雅人が入院している頃、同じようにぜんそくの子が発作を起こした際、看護師がそのようなことを言っていたそうだ。

僕らは、雅人の指示通り、ひとみちゃんをゆっくりと椅子に座らせてあげた。

携帯吸入器が到着するまでの間、どうにかして呼吸をやわらげてあげなければ……。

せっかくご両親と一緒に来たのに、これでは楽しい思い出が台無しだ。

今、ここでできることを精一杯やってあげなければ……。

捜索にかかわったキャストたちも、心配そうにひとみちゃんを見ている。

一人のキャストは、「もうすぐパパとママが来るからね」と、言葉で励まし、もう一人のキャストは、ひとみちゃんの背中をそっとさすってあげている。

そして、当時、園長がやっていた応急処置を、僕も必死に思い出した。

レストランという環境の中でできること……僕の中の色あせていた記憶が、みるみる色鮮やかに変わっていった。

「皆さん、上着を着ている人は、脱いで彼女にかけてあげてください！」

外で発作が出てしまった時、園長は自分の着ているものをその子にかけ、とにかく体を温めていた。そうすることで、呼吸が少し楽になるのだという。

すると雅人が、ウェイトレスにこう言った。

「すみません、熱いお湯で絞《しぼ》ったタオルをもらえますか？　おしぼりでもいいです。それと、温かいお茶を飲ませてあげてください」

それは、身体の外からも中からも温め、気管を楽にしてあげるための処置だ。

僕も雅人も、記憶の隅々を探した。

次第に、僕は目の前の小さなゲストを救いたい……この子を早く笑顔にしてあげたい……と思い始めた。

出来る限りのことを尽くし、ゼェゼェと言っていたひとみちゃんの呼吸が少しずつ落ち着いてきたその時、ナースとご両親がレストランに到着した。


「ひとみ！」


血相を変えたご両親は、思いのほか落ち着いている娘の様子に胸をなでおろし、そしてナースは救護バッグから携帯吸入器を取り出すと、ひとみちゃんの口へ運んだ。

ひとみちゃんの呼吸は、みるみる落ち着きを取り戻し、そして母親に抱きついて泣き出した。きっと、気がゆるんだのだろう。

するとご両親は、ひとみちゃんを抱きしめながらキャスト一人一人の顔を見て、「ありがとうございました。ありがとうございました」と、何度も何度も礼を言っていた。

そして父親は、こんなことを言った。

「本当に、ご迷惑をお掛けしました。こんなことになるなんて……動物と遊んだりしなければ、だいたい落ち着いているんですが、さぞかし興奮してしまったのでしょう」

「動物……ですか？」

僕は、無意識に聞き返していた。

「はい……。去年、お友達のおうちで子犬と遊んだ時に発作を起こしてしまって、その時も大変でした。きっと、犬の毛に反応してしまったのでしょうね……」

昔、捨て犬を拾ってきてしまった時、施設で飼ってもらえなかったことがあった。
あれは、「規則だから」という理由だけではなく、園長が子どもたちを大切に思うからこその思いやりだったんだ…。

女の子を見つめるご両親の優しい眼差しは、僕たちを見る園長の瞳に少し似ていた。

数日後

キャストとしての日々を過ごすにつれ、僕は自分が育った施設のことを思い出すようになった。

今まで、施設で育ったことをずっと『恥ずかしい』と思っていたが、ディズニーランドで働くようになってから、キャスト同士が認め合い、褒め合い、そして許し合っている姿を見ているうち、『恥ずかしい』という感情は薄れていった。

もしかしたら、周囲のキャストに「僕」を受け入れてもらったことで、僕自身も苦い過去を受け入れ始めているのかもしれない。

そう感じるようになった今、僕が育った施設を訪ねてみたい……と思った。

とはいえ、今の両親に引き取られてから一度も行ったことがなかったため、あの施設が今も存在しているのかすら分からない。

僕は、次の休みを利用し、思い切って行ってみようと思った。

施設がある駅に着くと、辺りはガラッと変わっていた。

当時、殺風景《さっぷうけい》だったロータリーは、多くのタクシーが停まっていて、周囲にはいくつかの高層ビルも建っていた。

そして、僕が住んでいた施設は、残念ながら跡形もなく、そこは3階建のマンションとなっていた。

その足で役場へ行き、状況がどう変わったのかを尋ねると、別の施設と合併し、それと同時に園長は引退したとのことだった。

確かに、僕が幼い頃には、すでにおばあちゃんのような園長だったため、引退していてもおかしくない。

僕は役場に事情を話し、園長に連絡を取ってもらった。すると、幸い元気にしているとのことが分かり、しかも自宅に来るようにとの伝言をもらったという。

役場で教えてもらった園長の住所を片手に、僕は再び駅へ向かった。

園長の家は、こじんまりとした古い平屋だった。
外の門にはチャイムが見当たらず、玄関につながる石の通路へ足を踏み入れた。
すると、5、6歩進んだその時、背後から「ワン！」と犬の声がした。
振り返ると、小さくも大きくもない柴犬が、小屋から姿を見せた。
それと同時に、カラカラカラと玄関が開き、何ひとつ変わらない園長が出てきた。

「勝……？」

僕は、懐かしさのあまり、何から話していいか分からなかった。

「はい……。園長、お久しぶり……です」

ぎこちない敬語で、僕は答えた。

足元も見ず、左右ちぐはぐなサンダルを履いた園長は、まっすぐ僕に抱きついてきた。

「こんなに立派になって……勝……勝……」

何度も僕の名前を呼び、顔を見ては抱きしめ、顔を見ては抱きしめ、園長はそれを3回ほど繰り返した。

一瞬にして、僕の中の愛されていた記憶がよみがえった。

「園長、この犬……」

「そうよ、覚えてる？」

それは、僕が5歳の時、公園で拾ってきてしまった子犬だった。

あの時、飼い主を探すために大雨の中へ飛び出した僕を、園長は探し回ってくれ、そして「飼い主が見つかったから、安心して帰りなさい」と言った。

僕は、「うそだ！」と言って子犬を渡さなかったが、「このままでは勝も子犬も風邪をひいて死んでしまう」と説得され、子犬を園長に手渡したのを覚えている。

でも、子犬の飼い主は「園長の遠くの親戚」としか聞いていなかった。

「施設が合併され、引退したあと、どうにも寂しくてね……。ふと、あの時のことを思い出して、親戚にお願いしたのよ。この犬を私の家族にしたいから譲ってほしい……と」

そうだ、園長には本当の家族がいなかった。

ずっと独身でいたから、子どもを授かる機会もなく、いつも僕たちと一緒にいてくれた。

「ここにいるみんなが家族なのよ」と言った園長の言葉は、嘘でもなぐさめでもなく、心からそう思っていた言葉だったんだ。

園長の家の中に入ると、初めて来たのになんだか懐かしい匂いがした。

掘りごたつに座ると、園長は麦茶を出してくれた。あの頃と同じ濃いめの味だった。

「薄い麦茶なんか飲んでたら、心が貧しくなった気がする」とか言って、園長は毎日やかんでグラグラと煮た麦茶を作っていた。

僕らは掘りごたつで向き合い、たわいもない会話を楽しんだ。

幸せは、もしかしたら「与えられるもの」ではなく、「見つけるもの」なのかもしれない。僕は、こみ上げるこの気持ちを、園長に伝えた。

「園長、あの時……僕のことを見つけてくれてありがとう。カーディガンで温めてくれてありがとう。寂しい時、布団の中でぎゅっと抱きしめてくれて……ありがとう」

園長は、両手で湯のみを包み、濃いめの麦茶を ずずっと飲むフリをして、そっと涙を拭《ふ》いていた。

帰り際、玄関で「またおいで」という園長の笑顔は、あの時のままだった。

そして、家路に向かった僕は、来た時よりも景色が明るく見えた気がした。

2週間後

僕らは今日、あるイベントに参加している。

年に何度か行われるディズニーランドの行事で、「スピリット・オブ・東京ディズニーランド」というものだ。

そこでは、最も頑張ったキャストが選考され、表彰されるという。

そして、なんと今回の受賞者に、僕と雅人も選ばれたのだった。

迷子になったぜんそくのゲストに対する僕たちの対応が、認められたのだ。

司会者の指示通り、僕と雅人は表彰台の方へ向かった。

こんなに大勢の前で表彰されることなど、今まで一度もなければ、想像したこともない。

こういう賞をもらうのは、笑顔の似合う優等生とか、スポーツ万能の人気者とか、そういう普通の幸せ者ばかりだと思っていた。

まさか、僕にこんな日が来るなんて……。

すると、社長から「スピリット・アワードピン」というバッジが授与された。

そのバッジには、ウォルト・ディズニーとミッキーマウスが手をつないでいる絵が描かれている。

たった1匹の小さなネズミから始まった、このディズニーランドは、ただ楽しいだけの遊園パークではない。働く者同士が認め合い、褒め合い、許し合い、愛に溢《あふ》れた世界なんだ……と、研修で聞いた。

そして、誰もが「あるべき姿」になれる……と。

あるべき姿とは、飾らず、媚《こ》びず、嘘をつかず、人の痛みが分かる「愛に溢れた人間本来の姿」が、あるべき姿なのだとウォルトは言う。

キャスト全員が、そんなあるべき姿を保つことにより、ゲストへのおもてなしにも愛を込めることができるのだ……と。

ウォルトの姿なき今もディズニーランドが愛され続けているのは、決して奇跡ではない。ここが、愛に溢れた「あるべき姿」になれるところだからなのだ……とも聞いた。

つまらない講義だと思っていたが、案外覚えているものだな……。

僕は研修で習ったことを思い返すと共に、感じたことのない感情に襲われていた。

今、僕が手にしているバッジは、なんてことのない「普通のバッジ」かもしれないが、僕にとっては、この世に存在していることの『証《あかし》』のようなバッジに感じている。

自分の感情が整理できぬまま、目から涙がこぼれた。

止めようと思っても、止められない。次から次へと、涙がこぼれ落ちた。

雅人の笑顔を見ても、みんなの笑顔を見ても、どこを見ても涙が出てしまう。

僕は、幸福感に満たされていた——。

いつのまにか、幸せという「当たり前の奇跡」を起こしていた——。

すると、僕にハンカチを差し出してくれた金田が、優しい声でこう言った。

「勝さん、この世に必要とされない人間なんていないんですよ。人は、そこにいるだけで価値があるんです。今の勝さん、とってもいい顔してますよ」

「金田さん……、僕は変われたんでしょうか」

「いいや、君は変わったんじゃない。あるべき姿に戻っただけですよ」

「……！」

「ほとんどのみんなが『当たり前』だと思っていることを、小さい頃から『そうではない大切な奇跡』だと知っていた勝さんは、あるべき姿に戻った今、きっとたくさんの人を幸せにすることができるでしょう。これからも、その笑顔を忘れないでくださいね」

「ありがとうございます……僕、生まれて初めて『生きててよかった』と思えました。本当に、ありがとうございます……」
「いいえ、お礼を言うのはこちらの方ですよ。こちらこそありがとう。生きててよかったと思ってくれて……そして、僕たちの家族になってくれてありがとう」

1992年5月
その日、僕は両親をディズニーランドへ招いた。
高校を卒業してから、いつもダラダラしていた「僕」ではなく、あるべき姿の「僕」を見てもらいたい……と思ったから。
さっきまで降っていた雨はすっかり止み、空には大きな虹が出ている。

「勝！」

呼びかけられた声の方を向くと、無邪気な子どものように手を振る父と母がいた。

「お疲れさま」

父は、なんだか嬉しそうにそう言った。

いや、この何年か、まともに両親と向き合って話していなかったから、こんなに晴れやかな両親の笑顔に、気づけなかっただけなのかもしれない。

そんな両親の顔を見ていたら、僕は幼い頃に抱いていた夢を思い出した。そして、その夢を父と母に伝えたい……という思いが込み上げてきた。

「ねぇ、父さん、知ってる？　ディズニーランドは、あるべき姿になれるところなんだよ」

「あるべき……姿？」

「そう、自分が持って生まれた本来の姿になれるんだ。だから、ここなら僕の夢を素直に伝えられるかな……って」

父は、「その夢、聞いてもいいかな?」と言った。

僕は、深くうなずいた。

「父さんと母さんと、本当の家族になるってこと」

「……」

「いつか結婚して、子どもを作って、父さんと母さんのことを『おじいちゃんとおばあちゃん』って呼ばせるんだ。そうすれば本当の家族になれるって、昔からずっと思ってた。でも、ここで働くようになって、分かったんだ」

「……何を?」

「その夢は、とっくに叶っていたってことが……。僕たちは、偽者の家族なんかじゃない。血なんかつながってなくても、当たり前の毎日を『奇跡』と感じる幸せの絆《きずな》がある」

両親の目から、みるみる涙が溢れ出した。

そして僕は、伝えたい本当の思いを語った。

「父さん、母さん、僕を家族にしてくれてありがとう」

人は、信頼を重ね合うことで、目に見えなかったものが見えてくる。当たり前な日々に感謝し、目の前の人と寄り添い、認め合うことで、かけがえのない絆が生まれる。

僕たち家族に血のつながりはないけど、本当に大切なことはそんなことじゃない。お互いを「必要」だと思い合う気持ち……それだけあればいいんだ。

この世に必要のない人間なんていない。人は、そこにいるだけで価値があるんだ。

すると、母は僕の肩に手をかけ、心を込めてこう言った。

「勝、この世に生まれてきてくれて……ありがとう」

僕は、目の前にいる両親という名のゲストを、心から幸せにしたいと感じた。

そして、先輩キャストから習った最高のパフォーマンスを見せた。

「ねぇ父さん、母さん、いいものを見せてあげるよ」

ベンチの隅にできていた水たまりに、ホウキを絵筆のように浸し、僕は地面に絵を描いた。

「ミッキー……マウス？」

母は、「かわいい」と言って手をたたいた。泣いていた父も、母の横で笑顔になった。

大空にかかった虹は、水たまりで描かれたミッキーを、虹色に照らした。

1992年6月

季節はすっかり梅雨に入り、パークを彩《いろど》るあじさいも、雨露を乗せてキラキラと輝いている。

その後、本当にやりたいことを見つけた勝は、大好きな動物を守るために獣医を目指しつつ、ディズニーランドの仕事にも精を注いでいる。

心から溢れる笑顔で、ゲストに幸せのおもてなしをしているのだ。

自分の過去と向き合い、そして仲間との信頼関係を築き、勝はあるべき姿を取り戻した。

自分自身を愛してこそ、ゲストに愛あるおもてなしができるのである。

自分を愛し、そして人を幸せにする。すると、笑顔というかけがえのない報酬《ほうしゅう》が返ってくる。

ウォルトは、そんな愛に溢れた世界を作りたい……と願い、ディズニーランドを製作した。

また、勝と同じように、ウォルトも動物を愛したうちの一人だ。

ウォルトが動物をモチーフにしていた理由は、動物には照れや恥がなく、素直な感情で生きているから……。

そんな動物たちを主役としたストーリーを描き、人々が心から笑顔でいてくれることだけを求めた。感動の源泉は、イノセンス（純粋無垢）にあるのだ――と。

だから、僕たちキャストは純粋に認め合い、褒め合い、許し合い、愛し合い、そしてゲストに惜しみない愛を注ぐのだ。

愛の連鎖によって、ディズニーランドはできているといっても過言ではないだろう。

ウォルトは、ディズニーランドをオープンした時のスピーチで、こう言った。

『私はディズニーランドが人々に幸福を与える場所、大人も子どもも、共に生命の驚異や冒険を体験し、楽しい思い出を作ってもらえるような場所であってほしいと願っています』

「誰もが楽しめる」というファミリーエンターテイメントの理念は、今もなお、キャストたちの愛によって受け継がれている。

本当の幸せとは、目に見えるものや決まった形ではなく「幸福感」を抱くこと、そして与えることなのかもしれない。


ウォルトの思想を思い返しつつ、窓の外のあじさいを見ていると、ディズニーランドの顔とも言える「券売窓口」から1本の連絡が入った。

なんと、入場制限によってパークへ入れなかったゲストが、「アトラクションに乗らないから、入場だけでもさせてほしい」という要望を、強く訴えているという。

そのゲストは九州からわざわざ来られたらしく、小さなお孫さんも一緒とのことだ。

しかし、ディズニーランドが入場制限をするのは、ゲストの安全を守るためなのである。

とはいえ、他のゲストの混乱を招かないためにも、早急に対応せねばならない。

僕は、九州から来られたゲストにご納得していただくため、足早に券売窓口へ向かった。


【第2話へ続く】

第2話

真冬の桜ふぶき

1992年6月

春に入社した新人キャストたちは、少しずつ仕事にやりがいを感じ始めている6月。

それぞれの持ち場にて、笑顔でゲストと触れ合っている。

そんなキャストたちを見ていると、僕自身とても幸せな気持ちになる。

窓の外のあじさいと共に、そのような光景を眺めていると、ディズニーランドの顔とも言える「券売窓口」から一本の連絡が入った。

なんと、入場制限によってパークへ入れなかったゲストが、「アトラクションに乗らないから、入園だけでもさせてほしい」という要望を、強く訴えているという。

そのゲストは九州からわざわざ来られたらしく、小さなお孫さんも一緒とのことだ。

しかし、ディズニーランドが入場制限をするのは、ゲストの安全を守るためなのである。

とはいえ、他のゲストの混乱を招かないためにも、早急に対応せねばならない。

僕は、九州から来られたゲストにご納得していただくため、足早に券売窓口へ向かった。

券売窓口に着くと、すでにセキュリティキャストの川辺晴美が対応していた。

九州から来られたゲストは、お孫さんの手を握りながら必死に中へ入れてくれるよう晴美に訴えている。

「だから、乗り物には乗らないから、入園だけでもさせてちょうだいよ。さっきから何度も言ってるでしょう？」

「ですが、お客様……当パーク内は、すでに大勢の方で溢《あふ》れております。皆様の安全をお守りするためにも、入園することはお控えいただかなければならないのです」

晴美の説明通り、ディズニーランドでは「Safety（安全）」という行動基準によって、ゲスト一人一人の安全を守るための決まりがある。

その他にも、「Courtesy（礼儀正しさ）」「Show（ショー）」「Efficiency（効率）」と、全部で4つの原則を軸に、キャストたちは教育されている。

その中でも、ゲストの安全を守るための「Safety（安全）」は、最も重要としていることの1つなのだ。

対応しているキャストの晴美は、ディズニーランドに来る前は一流ホテルに勤めていた経験があり、大抵のおもてなしは身に付けている。

きっと彼女なら、ゲストのことを一番に考えたご対応をすることができるだろう。

僕は、晴美自身の成長のためにも、この場はあえて見守ることにした。

すると、入園を強く訴えていたゲストは、お孫さんの手をグイっと引っ張り、晴美に背を向けてこう言った。

「ごめんね、あっくん。このおねえちゃん、とってもいじわるなの。どうしても入れてくれないっていうから、違う遊園地で我慢してくれる？」

すると、手を引かれたお孫さんは大声で泣き出し、晴美に捨てゼリフを吐いた。

「おねえちゃんのいじわる！　ディズニーランドなんか大っ嫌いだ！」

そう言うと、お婆さんとお孫さんは、舞浜駅の方へと歩き始めた。

僕は、晴美に近づいた。

「晴美さん、大丈夫ですか？」

「金田さん……私……どうしたらいいか……」

肩を落とし、動揺している晴美を僕は励ました。

「晴美さんは、決して間違った対応をしたわけではありませんよ。ゲストの安全を守ろうとしたからこその対応だったと僕は思います」

「確かに、マニュアルではそうかもしれません……でも、本当にこれでいいのでしょうか……九州からわざわざ足を運ばれたのに……」

晴美の言う通り、これでいいとは僕も思わない。晴美の対応は間違っていなかったと心底思うが、期待を胸にディズニーランドを訪れたゲストを、「もう入れません」と言って追い返していいわけではない。

僕は、晴美の心の声を聞き、少し考えさせられた。

今まで、ゲストのため……これでいいんだ……と思っていたことが、本当にそれで

いいのか、改めて向き合わなければいけない気がした。

翌日、晴美は欠勤した。

体調不良とのことだが、当日欠勤するようなことは、彼女がディズニーランドに入社してから初めてのことだ。

昨日の出来事に、よほど責任を感じているのだろうか。僕は、晴美の家に電話をかけることにした。

＊＊＊＊＊

ディズニーランドに入社して3年目の6月、私は初めて当日欠勤をした。

「体調不良で休みます」とは伝えたものの、昨日のことがあったため、それが嘘だということはきっとみんな察しているだろう。

大学の頃から、ディズニーランドに入社することを望んでいた私だが、4年生の時に受けた入社試験に落ちてしまい、第2希望のホテルへ勤めた。

とはいえ、そのホテルは関東でも指折りの一流ホテルと言われていて、両親はたいそう喜んでくれた。

しかし、周囲の期待とはうらはらに、その安泰はいつまでも続かなかった。

それは、ホテルに勤めてから3年が経ったある日のこと。ちょうど、今と同じような梅雨の季節だったのだが、ジューンブライドということもあり、ホテルは予約でいっぱいだった。

そんな満室の日、昨日と同じように遠くから足を運ばれたお客様のお部屋を取ることができず、私はマニュアル通りの回答をして、そのお客様を帰してしまった。

すると後日、そのお客様からホテルにクレームが入り、私の接客に対してあることないことを言われてしまった。

金田と同じように、「晴美さんは間違ってないよ」と言ってくれる上司や仲間もいたが、それはほんの一部の人だった。だいたいの人は嘘の噂《うわさ》に耳を傾け、次第にホテル内ではさらなる悪い噂が広がり、居場所がなくなった私は自主退職という形を取らざるを得なくなった。

しかし、そのことによって私は、ディズニーランドのキャストとなる夢を叶えようと思った。

ホテルを辞めたことを、一生の「後悔」や「傷」にしたくなかったからだ。

これでもし夢が叶えば、ホテルで勤めた厳しい日々は無駄ではなかった……夢を叶えるための通過地点だったのだ……と、自分に言い聞かせることができる。

そして次の春、一流ホテルに勤めていたという実績がプラスとなり、念願が叶ってディズニーランドのキャストとなることができた。

それなのに、今度はディズニーランドで、同じ失敗を繰り返してしまったのだ。

九州からわざわざ来られたゲストを、追い返すようなことをしてしまい、しかも、お孫さんを大変ガッカリさせてしまった。さぞかし、期待を膨《ふく》らませて来ただろうに、「ディズニーランドなんか大嫌いだ」という思いまで抱かせてしまった。

きっとまた、ホテルの時のようにクレームが入るかもしれない……。

ようやく夢を叶えたというのに、私はまた辞めざるを得なくなるかも……。

母が生きていたら、こんな時どんな言葉をかけてくれるだろう。

昔から体が弱かった母は、おととしの12月、肺炎をこじらせて他界してしまった。

淡いピンクの桜が大好きだった母は、「またみんなで桜が見たいね」と言いながら、私の手を握っていた。そして、みるみるその力は抜けていった。

私のすべてを受け入れてくれていた母なら、きっとこんな時、温かい言葉をかけてくれたに違いない。

優しかった母を思い出し、涙が溢れそうになったその時、自宅の電話が鳴った。

おそらく、教育責任者の金田からだろう。あの時と同じように「大事な話があるから来るように」という内容に違いない……。ホテルから呼び出されたあの日の気持ちが、私の中でリアルによみがえった。

私は、金田からと思われる電話を取らなかった。どうせ辞めさせられるなら、もう少しだけディズニーランドのキャストである実感を噛みしめていたい……。

開き直るかのようにシャワーを浴びると、お気に入りのワンピースを着て、私は母のお墓へ足を運んだ。

ディズニーランドからバスで10分ほどの「浦安駅」に住んでいる私は、そこから電車で30分揺られ、母の眠るお墓に着いた。

丘になっている坂道を登っていると、いつも声をかけてくれる墓守の石黒さんが前から歩いてきた。


「晴美ちゃん、こんにちは。今日は、ずいぶんおめかししてるね」

「こんにちは、石黒さん。このワンピース、母と一緒に選んだものなんです」

「そりゃあ、お母さんもきっと喜ぶだろうね。そういえば……」

「……?」

「半年くらい前だったかな、晴美ちゃんのお父さんがお墓参りに来ていたよ」

「父が!?」

「ああ、たぶんお父さんじゃないかな。隅々綺麗に掃除したあと、長いこと手を合わせてたなぁ」

父とは、母の葬儀以来顔を合わせていない。

なぜなら、母が危篤《きとく》の時に、いつも通り仕事をしていて、母の最期を見送ってあげなかったから……。

そんな父は、昔から仕事を優先していた。運動会も、授業参観も、入学式や卒業式も、ほとんど参加したことがなかった。

でも、そんなことはどうでもいい。30年間連れ添った母の危篤の時まで、仕事を優先していた父を、私は絶対に許すことができない。

母は、どんなに寂しい思いを抱えていたことか……。

そして私は、母の葬儀を終えたその夜、三人で暮らしていた家を出て、ホテルに勤めていた頃から付き合っている彼の家で暮らし始めた。

きっかけはどうであれ、彼との暮らしはとても心地いい自然な生活となり、どちらかが言い出したというわけでもなく、次第に将来も意識するようになった。

それから1年半が経ったとはいえ、仕事人間の父が簡単に変わったとは思えない。

いったい、何のためにここへ来たというのだろう。

あの時、まだ温かかった母の手を握ってあげられなかったことを、謝罪しに来たとでもいうのだろうか。

翌日

その翌日も、私は仕事を休んだ。

明日になったら、辞表を持っていこう……。辞めさせられるよりも、自分から辞めた方が傷も浅い……。心の中で、そう思い込んでいた。

キャストになれたことを、自分のことのように喜んでくれた母には申し訳ないが、そのことは昨日お墓で報告してきた。だからいいというわけではないが、きっと母は私の気持ちを分かってくれると思う。どんな時も、私を認め、ささいなことでも褒《ほ》めてくれ、そして許してきてくれたから……。

仕事人間の父には、もったいない奥さんだったと、私は思っている。

そんなことを考えつつ、次の仕事を探すための就職情報誌を買おうと、駅前の百貨店へ行くことにした。

そして、もやもやした気持ちのまま歩いていると、どことなく見たことのあるお婆さんを見かけた。

よく見ると、おとといディズニーランドを訪れ、入場制限にてパークへ入ることができなかったあのお婆さんだ。九州からお孫さんを連れて来られた、あのゲストに間違いない。

しかし、あきらかに様子がおかしい。一緒に連れていたお孫さんも見当たらず、辺りをキョロキョロしながら「あつし！」とお孫さんの名前を呼んでいる。

私は、声をかけようかどうしようか迷ったが、今日まではディズニーランドのキャストであることを自覚していたい……と、朝考えた気持ちを思い出し、思い切ってお婆さんに話しかけた。

「あの……どうかなさいましたか？」

するとお婆さんは、私の顔を見るやいなや、こう言った。
「あんた……おといの？　こんなことになったのも、みんなあんたが悪いのよ！あの時、中に入れてくれていれば、こんな風にあの子がいなくなることもなかったのに……」

お二人は、今日の午後の便で九州へ帰ることになっていたという。1日目はディズニーランドから最も近い高級ホテルへ宿泊し、2泊目からはバスで10分ほどの、この辺のビジネスホテルを利用していたとのことだ。旅費を節約するため、そのような宿泊プランを立てるゲストは数多くいる。

そして今朝、お婆さんが帰り支度を始めていると、お孫さんが「まだ帰りたくない」と言ったため、ホテルから数分のところにある百貨店へ連れて行ってあげたそうな。

しかし、屋上の遊園コーナーで遊んでいたお孫さんは、お婆さんが目を離した隙《すき》に姿を消してしまったとのことだ。

もしかしたら、ホテルへ戻っているかもしれない……と判断したお婆さんは、百貨店を出てホテルへ向かっている途中だった。

私は、「手分けして探しましょう」と言い、今まで一緒にいたという百貨店へ向かった。もしかしたら、まだ百貨店の中のどこかにいるかもしれない……。

百貨店の中に入ると、迷子のアナウンスが流れていた。『さわき　あつし』君という名前をはじめ、着ている洋服や特徴を記憶し、店内のスタッフと共に探した。

こんな時、職場のみんながいたら……。きっと知恵を出し合い、そして励まし合いながら探すことだろう。私一人で、慣れないスタッフの方々と探し出すことなど、できるのだろうか。

そんな時、ふと教育責任者の金田のことを思い出した。

金田なら、こんな時どのような指示を出してくれるだろう。

電話に出ていなかったため、とても気まずい状態ではあるが、そんなことは言っていられない。エスカレーターの脇にある公衆電話へ行き、テレホンカードを差し込み、金田のいる人事部に電話をかけた。

パークを巡回していたらどうしよう……とも思ったが、運よく金田は電話口の近くにいると言う。私は、すぐにかわってもらった。

「金田さん、あの……ここ数日お休みしてしまいすみません……。それについては、改めてちゃんと謝罪させていただきますので、今ちょっとお知恵を貸していただけないでしょうか？」

「晴美さん？　何かあったんですか？」

「実は……」

私は、先日訪れたゲストのお孫さんが、百貨店で急に姿を消してしまったことを金田に説明した。すると、金田はこう言った。

「晴美さん、落ち着いてください。お子様はとても好奇心が強いので、大人が想像しているところとは違う視点で周囲を見ているはずです。案外、遠くに行っているようで、近くにいる場合もありますので、もう一度、姿を消したという遊園コーナーを探してみてはどうですか？」

「でも……もし、誘拐なんてことになっていたら……」

「そのような事態を招かないためにも、一刻も早く見つけてあげることが先決です。晴美さん、しっかりしてください。あなたならきっと見つけ出すことができます！」

私は、この「あなたならきっと」という言葉に励まされた。

そうだ、この3年間、つらいことも多々あったけど、自分を必要とされている実感があったから、頑張ってこられた。

母が私を認めてくれていたように、ディズニーランドのみんなとも認め合い、褒め合い、許し合ってきたからこそ、ホテルに勤めていた時とは違う『やりがい』を感じていたのだ。ディズニーランドの仕事は、やりがいと苦労がプラマイゼロではなかった。必ず、プラスになっていたから、いつも笑顔で働いていられたんだ。

私は、自宅にかかってきた電話を取らなかったことを、心から申し訳ないと感じた。

欠勤などせず、きちんと話し合い、自分の感じている不安を伝えればよかった……と。

ともかく、今はあつし君を探すことに集中しよう。

私は、金田のアドバイス通り、子どもの目線になって探してみることにした。

そして、百貨店のスタッフにそう呼びかけ、姿を消したという屋上の遊園コーナーへ向かった。

もしかしたら、いたずら心でどこかへ隠れているのかもしれない。とはいえ、いたずら心のつもりが、苦しい思いをしていたら……私たちは、様々な不安と想像を巡らせながら、あつし君を探した。

早く見つけてあげなくては、お婆さんとの旅行が苦い思い出となってしまう。

たとえパークの中に入れなかったゲストだとしても、私の大切なゲストに変わりはない。あの子を笑顔にしてあげたい……。

九州へ帰る飛行機の中、お婆さんと共に笑顔で思い出を語ってもらいたい……。

私は、あつし君が遊んでいたというジャングルジムに登ってみた。

もしかしたら、何かヒントがあるかもしれない。

そして一番上まで行くと、そこから数十メートル先の壁の陰に、「立入禁止」と書かれてある小さめの扉があるのを見つけた。一見すると、子どもの背丈と同じくらいだろうか。

「(もしかして……)」

金田の言うように、大人が気にも留めないようなところに、子どもは好奇心をくすぐられることもある。

私はジャングルジムを降りると、その小さめの扉へ向かって走った。

私の様子を見た百貨店のスタッフの方々も、同じく走り寄った。

錆《さ》びた鉄のようなその扉は、室温や水道・給湯の循環を管理しているボイラー室の扉だという。

すると、ドアの中から、かすかにドンドンドンという音が聞こえる。

私は、扉に口を近づけ、声を張り上げて中に問いかけた。

「誰かいるの!?　あつし君？　聞こえる!?」

すると、再びドンドンドンという音が確かに聞こえた。

その場にいたスタッフの一人が、急いでカギをあけて扉を開くと、さらにもう1枚の扉の向こうで、激しいモーターの音と共にかすかな男の子の声が聞こえた。

「待っててね！　今、開けてあげるからね！」

私は、必死で声をかけ続けた。

2枚目の扉が開くと、熱風と共に汗だくの男の子が泣きながら出てきた。

その子の泣き顔を見るのは、これで二度目だった。

「うわー！　ごめんなさい、ごめんなさい！　勝手に入ってごめんなさい！　もう……誰も助けに来てくれないかと思った……！　ごめんなさい、ごめんなさい！」

激しい音と振動の中で、あつし君は助けを求め、叫び続けていたのである。

さぞかし心細かったことだろう。この子の心境を想像すると、私は涙が出そうになった。

空調の点検をしに、屋上のスタッフがカギをあけた隙に、興味を抱いたあつし君は、さっと入り込んだとのこと。

まさか人が入ったなど思っていなかったスタッフの方は、辺りを見回したのち、ドアを閉めてしまったそうだ。

泣き止まないあつし君を私は抱きしめ、心を込めてなぐさめた。

「あつし君、よく頑張ったね。真っ暗な中、扉が開くまであきらめずに、えらかったね」

百貨店のスタッフは、すぐさまお婆さんが探しているホテルに連絡を入れたのち、あつし君を救護室へ連れて行ってあげた。

手を握られている私も、あつし君と共に救護室へ向かった。

数分後、お婆さんが到着すると、ベッドで横になっていたあつし君は飛び起きてお婆さんにしがみついた。

お婆さんは、あつし君のことをぎゅっと抱きしめながら、「ごめんよ、目を離してごめんよ」と言っていた。

そして、「入ってはいけないと書かれてあるところには、絶対に入っちゃいけないよ」と、教えてあげると共に、手さげバッグからジュースを出して飲ませてあげた。

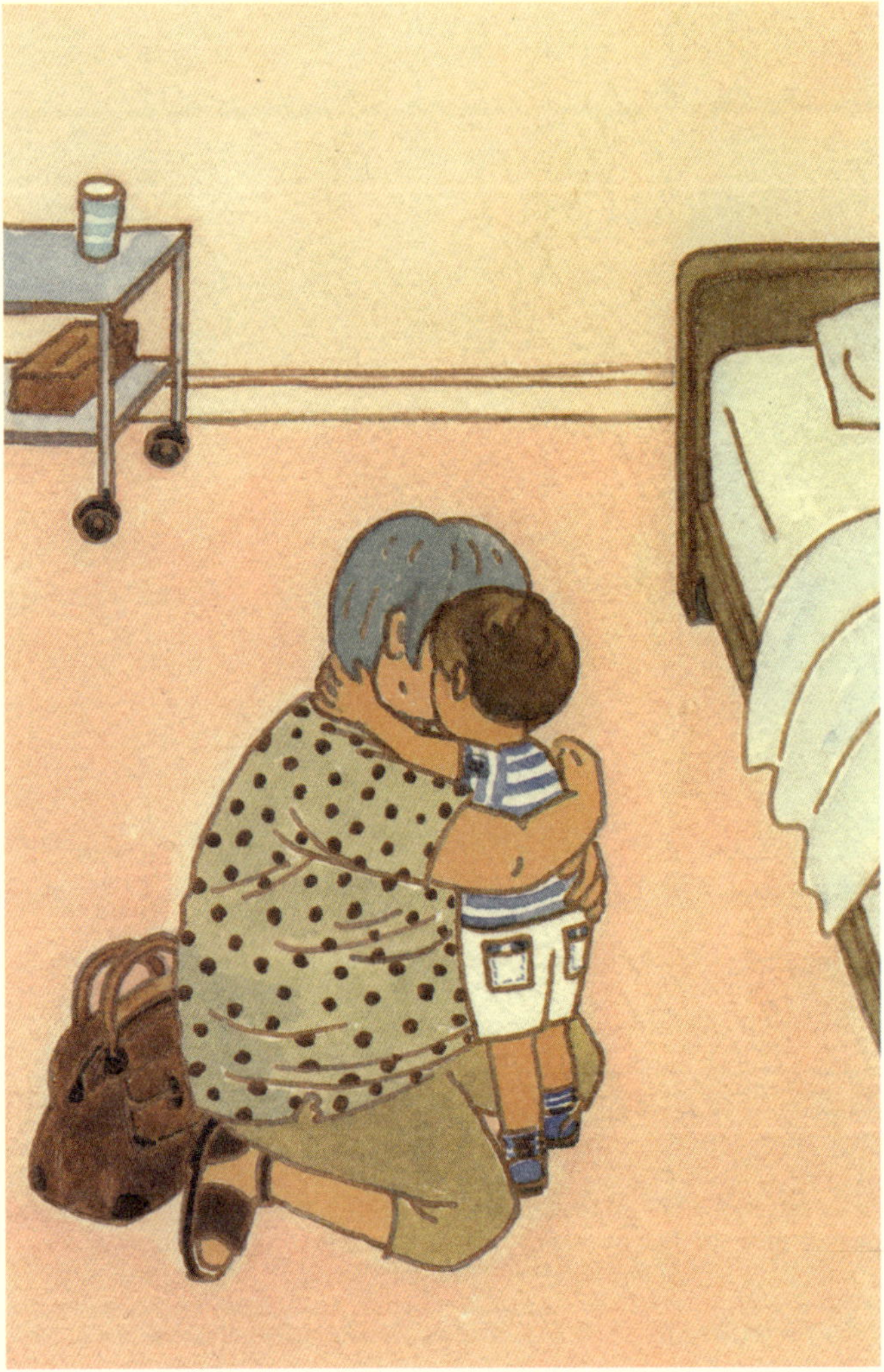

私はその様子を見て、心からよかったと思った。

せっかくの旅行が、苦い思い出になることなく、無事に再会できて本当によかった……と。

再会した二人を見届けた私は、そっと救護室を出ようと、扉に手をかけた。

すると、「ちょっと待って！」と、お婆さんに呼び止められた。

「なんていうか……ごめんなさいね……」

「え？」

「いや、あなたのこと、悪者みたいに言っちゃったから……」

「そんな……あの状況では、仕方がなかったと思います。こちらこそ、もっと誠意を持ってご対応していれば、今日みたいなことにはならなかったかもしれませんし……」

「いいえ、私が『いけないことは、いけない』と、ちゃんと教えなかったから、このようなことになってしまったんです。スタッフの皆さんを巻き込んでしまい、そして何より……孫を危険な目にあわせてしまったのは、私が甘やかしたせいです……」

「でも、大事に至らなくて本当によかったです。あの……いつかまた、ディズニーランドへお越しくださいませ。またのお越しを、心よりお待ちしておりますので……」

お婆さんは、涙まじりの声で「ありがとう」と言うと、深々とおじぎをし、あつし君を再び抱きしめた。

私は、条件反射で出た自分の言葉を、もう一度頭の中で繰り返した。

「またのお越しを、心よりお待ちしております」……と。

ディズニーランドに勤めたことで、私は生きるうえで最も大切なことを教えられた。

それは、かけがえのない報酬《ほうしゅう》はお金や物ではなく、ゲストからの「ありがとう」という言葉である……と。

ゲストをはじめ、目の前の人を幸せにすることで、そのかけがえのない報酬は返ってくるのだと、この3年間で実感を重ねた。

そして今日、その実感は消えることのない確信へと変わったのだ。

たとえ、入場することのできなかったゲストだとしても、「ディズニーランドにまた来たい」と思ってもらえるようなおもてなしを、私はこれからも続けていきたい。

私は、今日感じたこの気持ちを、金田に正直に話してみようと心に決めた。

家に着くと、ポストの中に手紙のような紙がたくさん入っていた。

手紙と言っても、郵送されてきたものではなく、その場で書いたと思われるメモに近い手紙である。

欠勤をしている私を心配してくれた先輩キャストや後輩キャストたちが、仕事の帰りに寄ってくれたようで、思いやりの詰まった言葉がポストから溢れ出てきた。

『晴美ちゃん、失敗は成功のもと！　ファイト！　大石』

『ゲストが、晴美ちゃんの笑顔を待ってるよ～　佐々木』

『みんな心配してます。晴美さんの元気な姿が見たいです。　野崎』

『今、晴美ちゃんが抱えている悩みは、きっと晴美ちゃんにとって必要な試練なんだ

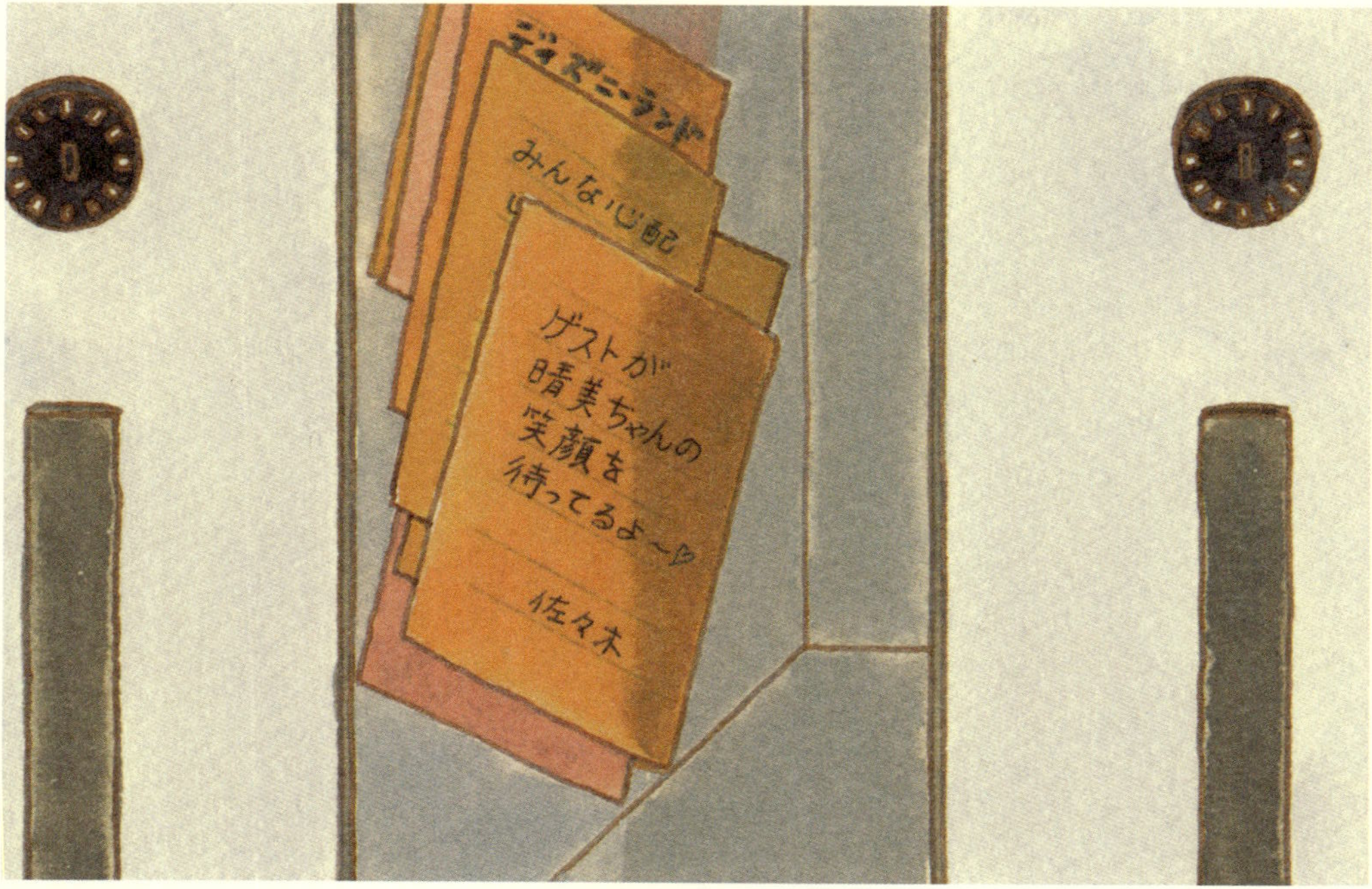
ゲストが
晴美ちゃんの
笑顔を
待ってるよ〜♪
佐々木
みんな心配
ディズニーランド

と思います。自分に負けないで頑張って！　井川』
『晴美さんは、新人にとって憧れのキャストです！　田宮』
『ディズニーランドに、必要ないキャストなんて一人もいません！　もし辞めるなんて考えていたら、ちょっと待った〜！　門田』
『研修の時から、晴美ちゃんはすでに立派な「キャスト」でした。大好きなディズニーから離れることなんて、晴美ちゃんにはできない！パークで待ってますね。石丸』

私は、一枚一枚の手紙を、何度も何度も繰り返して読んだ。

みんなの顔を思い浮かべながら読むうち、涙で文字がにじんできた。

そうだ。ディズニーランドは、仲間を絶対に見捨てない世界だった。

それなのに、「辞めさせられる」と思い込んだ私は、どうかしていた……。

今までの失敗も、成長の前ぶれとして、いつも見守ってくれていた。

ホテルに勤めていた時と同じ失敗をしたことによって、苦い思い出ばかりが先走ってしまい、大切な仲間たちの思いを見失っていた。

明日になったら、金田だけではなく、仲間たちにもちゃんと謝ろう……。

そして、心の底から伝えよう。「ありがとう」って……。

半年後　1992年12月

あれから半年の月日が流れ、仲間たちとの絆《きずな》は、より一層深く結ばれていった。

欠勤を続けてしまったのち、私は恐る恐る金田のもとを訪ねた。

すると、金田は「おかえり」と笑顔で言ってくれた。

さらに「失敗の数だけ、成長することができる」という言葉もかけてくれた。

私は、百貨店で体験した出来事をはじめ、自分の中で確信に変わった「キャストであることの誇り」を金田に話した。

金田は、優しい顔で最後まで話を聞いてくれ、話し終わった私にこう言った。

「晴美さん、再び一緒に働きたいと思ってくれて、どうもありがとう」

私は、信じられない気持ちと共に、大きな喜びが心の中いっぱいに広がった。

一般的な会社であれば、みんなに責められても仕方ないような失敗をしてしまったにもかかわらず、快く迎えてくれただけでなく、「ありがとう」という感謝の言葉までかけてくれるなんて……。

「金田さん、ありがとうございます。未熟な私を快く受け入れてくださり、本当にありがとうございます」

「いいえ、お礼を言うのはこちらの方ですよ。晴美さんは、だいたいの人が『規則だから仕方ない』と割り切っていることを、そうではないこととして葛藤《かっとう》し、心からゲストを幸せにしたい……と思ったんですよね。そんな風に心の優しい晴美さんと一緒に働くことができて、僕は誇りに思います。晴美さん、僕たちの家族になってくれて、どうもありがとう」

その言葉に、私は涙が出るほど感動した。

そして私の中の感動は、さらに1通のハガキによって膨らんだ。

ディズニーランドに復帰して数日経ったある日、九州から来られたあのあつし君から、私宛に1通のハガキが届いたのだ。

お互い、ちゃんとした自己紹介もせず別れたため、「百貨店で助けてくれたおねえさんへ」という宛名で、ディズニーランドのゲストリレーション（ゲストの声や問い合わせを一番に受ける部署）に届いたという。

そこに書かれてあった内容は、まさに、かけがえのない報酬だった。


『おねえさん　ディズニーランドに入れなかったとき、大きらいなんて言って、ごめんなさい。今度ディズニーランドに行ったときは、ぜったい入れるように、おねえさんもいのってね！　それと、百貨店で僕のことを見つけてくれて、ありがとう。

じゃあ、またね。　　さわき　あつし』

今まで仕事をしてきた中で、こんなに嬉しいことがあっただろうか。

これほどのやりがいを、感じたことはあっただろうか。

私は、勇気を出してここへ戻って来てよかった……と、心の底から感じた。

あれから半年、私はそのハガキをお守りのように毎日持ち歩いている。

すると、パークを巡回していた金田が、私のところへ来てこう言った。

「晴美さん、今日もとてもいい笑顔ですね。やっぱり、ここは『あるべき姿』になれるところなんだな……と、晴美さんの笑顔を見ていて感じました」

「あるべき姿……ですか？」

「はい、人と人が認め合い、そして褒め合い、許し合うことで、その人が持って生まれた本来の姿になれるってことですよ」

「確かに、皆さんに認めていただくことで、私はとても心が軽くなり、ゲストに対しても幸せを提供したい……と心底思うようになりました」

「ええ、そのようですね。でも、認め合い、褒め合い、許し合うことは特別なことではなく、僕たちはここでの仕事を通して、そのことに気づかされただけなんですよ」

「ディズニーランドでは、どうしてそのようなことを教えるんですか？」

「僕たちがあるべき姿でいなければ、ゲストを幸せにすることはできませんからね。そのためには、お互いに感謝を伝え合うことも大切なんです」

「感謝を伝え合う？」

「はい。仕事の仲間だけではなく、例えばご両親に『ありがとう』を伝えるとかね」

私は、一瞬父の顔が脳裏《のうり》をよぎった。

危篤の母を放って仕事をしていた父に、「ありがとう」を伝えることなど一生ないと、私は言い切れる。

2年前　1990年12月
宝石の加工製造会社を営んでいる私は、愛する妻と娘の三人で暮らしている。

娘の晴美は、大学卒業後、都内でも指折りのホテルに勤めていたものの、あるトラブルにより、おととし退職することとなってしまった。

しかし、晴美はその後、ディズニーランドに入社した。ディズニーランドに勤めることは晴美の夢だったため、私も妻も自分のことのように嬉しかったのを覚えている。

晴美が生まれる前、大手宝石チェーンの社員だった私は、当時ジュエリーデザイナーをしていた妻と出会い、1年の交際を経て結婚した。

その後、晴美の出産を機に妻は専業主婦となり、子育てに専念した。

妻は仕事を辞めたことを悔やむことなく、すべての時間を私と晴美のために注いでくれた。

申し分のない優しい妻と、そんな妻との間に生まれた愛しい娘を守るためなら、どんな苦労も乗り越えられる。私は心の底からそう思い、仕事に励んでいた。

そして会社を設立して9年目の夏、順調だった私の会社に、初めて逆風が吹いた。

輸入卸部門の社員がミスのある注文書で発注をかけてしまったことにより、会社に大きな損害を出してしまったのだ。

先方は、そのミスに気づいていながら、儲かることを優先して取り引きを進めた。親切な同業者によってその事実を知った私は、社員たちのためにも、損害が出た分の金額を取り返そうと、裁判を起こした。

しかし、先方に悪意があったことを証明できるものはなく、証拠不十分により私たちの願いは届かなかった。

妻には絶対に心配をかけたくない。なぜなら、妻は昔から身体が弱く、ここ数カ月ずっと入院生活をしているからだ。すでに肺には水も溜まってしまい、いつ何が起きてもおかしくない……と、主治医に言われている。

そんなある日、やむを得ず病院で社員と連絡を取り合っているところを妻に聞かれ、会社が厳しい状況であることを知られてしまった。

私は、冷静を装《よそお》って「たいしたことはない。全然心配することはないよ」と言った。

とはいえ、裁判を起こしたことにより、尾ひれの付いた噂が業界で広がり、取引先から打ち切りの連絡が入るなど、会社の信用は完全に失われていた。

そんな八方ふさがりのある日、妻が入院している病院から、危険な状態を知らせる電話が入った。

私は、商談中だったにもかかわらず席を立ち、真っ先に妻の病院へ向かった。

看護師の話によると、晴美も職場から病院へ向かっているとのことだ。

息を切らして病室へ入ると、妻は酸素マスクをゆっくりとはずし、こう言った。


「あなた……そんなに急いで来るなんて……なんだか私……死んじゃうみたい」

「そんなこと……」

「だって、今日は大事な商談があるって……言ってたじゃない……？」

「ああ、それはもう無事に終わったんだ。心配してくれてありがとう。何も心配いらないよ」

「そう……それは、よかった。ねぇ、あの約束……覚えてる？」

「約束……？」

「いつか晴美ちゃんが結婚する日が来たら、式には絶対出席するって約束。どんなに忙しくても……晴美ちゃんに新しい家族ができる瞬間だけは……絶対に見届けてあげてね。その時に、私の夢も叶えてね……」

「ああ、もちろんだよ。君と一緒に出席するよ。君の夢も、絶対に叶えてあげるよ」

「ありがとう……。あ、それと……春になったら、お花見に連れてってくれる……？またみんなで桜が見たいわ……」

「そうだね、じゃあ、ちゃんと体調を整えないとね」

「ええ……そうね。ねぇ……、私はもう大丈夫だから、早く会社に戻って」

「分かった。じゃあ、また明日来るから」

「ええ、また明日……」


私は、声が震えないよう、精一杯の笑顔で「また明日」と言った。

妻の希望の光を消さないためにも、私は『いつも通り』を演じた。

明日もきっと会える。明日は笑顔の妻にきっとまた会えると信じ、病室をあとにした。

翌日の妻の顔は、まるで眠っているかのように穏やかで、そして美しかった。

そんな穏やかな顔とはうらはらに、娘の晴美との間には大きな亀裂が入ってしまった。

危険な状態だったと知っていたにもかかわらず、私が妻の手を握り続けてあげなかったことを、晴美は許してくれなかった。

葬儀のあと、晴美は何も言わずに家を出て行った。

それからしばらくして、再びある問題が降りかかった。

もちろん、そのことは晴美も知らない。

晴美が家を出て2年が経った今、いよいよその問題と目をそらすことはできない状況となってきた。

時折、妻の妹であり晴美の叔母に、晴美の話し相手になってもらっていたのだが、改めて最近の晴美の近況を聞こうと電話を入れると、一緒に住んでいる男性と、結婚の話が出始めている……ということを聞いた。

私は、晴美に会う前に、その相手に会わねばならないと思った。

生前の妻との、ある約束を果たすために……。

1992年12月

母が亡くなって、二度目の冬を迎えた。

お互いを認め合える仲間たちと、充実した日々を過ごしている中、ゲストの安全を守るセキュリティキャストの私に重大な役割を任された。

数日前、ゲストからの声や問い合わせを一番に受ける「ゲストリレーション」に、1本の電話が入ったという。

その電話は、車椅子で移動するゲストのために、安全で最短に回れるコースを考えてもらいたい……とのご要望だった。

ディズニーランドでは、ゲストのために様々な「ツアー」が用意されている。

そのツアーでは、1グループに一人のガイドキャストが付き添い、決まったコースをご案内することもあれば、一組一組に特別なコースをご用意させていただくことも、ご提供している。

今回は、そのツアーに参加する団体の中に、車椅子で移動せねばならない方が、お一人いらっしゃるという。そのため、ツアーガイドキャストだけではなく、セキュリティキャストである私も、最善のコースを一緒に考えることとなったのだ。

ディズニーランドでは、車椅子で移動されるゲストにもお楽しみいただけるアトラクションがいくつもある。

パレードも、座ったままでも見えるスペースをご用意してあり、ここでのひとときを心から満喫していただくことに、私たちは最善を尽くしている。

また、車椅子で移動されるゲストは、今年で会社を退社されるとのこと。その門出となるアーチを、同行される方々の手で作ってあげたい……と。

そのようなご要望も叶えるため、コースの最後の場所は「ピクニックエリア」を選択した。ピクニックエリアとは、お弁当や飲み物を持参されたゲストが、ご家族やグループでお食事を楽しめるプライベートスペースである。そこなら、他のゲストに迷惑をかけることなく、最後の門出となるアーチを作ってもらえるからだ。

私は、特別コースの最後を見守るべく、ピクニックエリアへ向かった。

ゲストたちの安全を確認することはもちろん、金田が「ささやかな『日々の感動』は、私たちキャストを成長させてくれるんですよ」と教えてくれたため、同行された方々の手で作るアーチを、この目で見届けたい……と思ったから。

そしてピクニックエリアへ行くと、ツアーを終えたゲストたちが、ちょうど集まってアーチを作るところだった。

私は、少々の緊張と大きな期待が胸の中で膨らんだ。

一人一人が繋ぐ手は、みるみる心温まるアーチになっていった。

その様子を見ていたキャストたちは、誰が声をかけるわけでもなく、自然と手を貸し始め、10mほどの長いアーチが作られていった。

私も引き寄せられるかのように手を伸ばし、アーチの最後尾で車椅子のゲストがくぐるのを待ちわびた。

アーチをくぐっているゲストの顔はまだ見えないが、「お疲れさまでした」「ありがとうございました」と、車椅子のゲストと共に働いてきた社員の声が近づくことで、徐々に出口へ近づいてきていることが分かった。

いよいよ車椅子のゲストのお顔が見えてきたその時、私はアーチを作る手を一瞬離しそうになってしまった。

「お父……さん？」

そのゲストの顔は、２年振りに見る私の父の顔だった。

私は、とっさに金田の方を振り返った。金田は、私の目を見ながら笑顔でうなずいた。その様子を見て、父がここへ訪れることを金田は知っていたのだと、私は一瞬で分かった。

すると、アーチの先頭の方にいた父の会社の社員が、私に近づき衝撃の事実を語り

始めた。

「晴美さん、実はお母様が亡くなられてからしばらくして、社長に病気が見つかったんです」

「……病気⁉」

「はい、手足などを動かす筋肉が壊れ、次第に力が弱くなり、思うように体を動かせなくなる……という難病です。社長は、ここ最近、歩行が困難な状態となってしまい、もっと先には言葉も……話せなくなるかもしれないんです」

「……！」

「そうなる前に、晴美さんと会っていただきたくて……何度かそのことをお話ししようと思い、お電話させていただいていたのですが……」

父の会社の社員から電話がかかってきていたのは、覚えている。

そのたびに私は、「話すことなどない」と言って、電話を切っていた。

母が危篤の時、仕事を続けていた父を許すことができず、私は聞く耳を持たなかったのだ。

そして、アーチをくぐり抜けた父は、私に「驚かせてすまない」と言った。

父は、どことなく表情が硬いようにも見えるが、それは私と再会したことによる緊張かもしれない。

私は、かける言葉が見つからなかった。

すると父は、「会わせたい人がいるんだ」と言い、ゆっくり後ろを振り返ると、「悠《ゆう》介《すけ》君！」と呼びながら手招きをした。

「悠……介……？」

父の会社の社員の後ろから、私の婚約者である悠介が姿を見せた。

悠介が目の前まで来ると、父はこう言った。

「晴美、お母さんから預かっているものがあるのだが、それは彼から渡さなければならないんだ」

「お母さんから……？」

悠介は、いつもの温かい笑顔でうなずくと、ポケットから小さな箱を出し、私に差し出してきた。

「僕たちの結婚指輪だよ」

「……！」

「この指輪、晴美のお母さんがデザインしてくれたものらしいんだ。晴美の結婚指輪をデザインすることが、お母さんの夢だったんだって。その夢の続きを、お父さんが叶えてくれたんだよ」

父は私の顔を見上げ、母への想いを語り始めた。

「本当は、お母さんが生きているうちに仕上げ、見せてあげたかった……。でも、会社が危機に襲われ、製作が遅れてしまった……。墓の中のお母さんに見せたって、もう笑顔は見られないというのに……」

母のお墓参りに行った時、墓守の石黒が見かけたというのは、やはり父だったのだ。

複雑な感情を抱いていると、父の後ろから一人の若い社員が私に駆け寄ってきた。

「ごめんなさい！　晴美さん、すべて僕が悪いんです！」

「……」

「2年前、僕の発注ミスにより、会社に大きな損害を出してしまったんです。そのため、うちの会社は次々に取引先から見放され、社長に大きな迷惑をかけてしまって……それで、この指輪の製作が遅れてしまったんです……」

若い社員は、さらに話を続けた。

「でも社長は、大きなミスをしてしまった自分を、決して見捨てませんでした。一度も責めることなく、全力でサポートしてくれました。僕たちのことを本当の家族のように守ってくれたんです。だから、恩返しがしたくて……。晴美さんが働くディズニーランドに行きたいという社長の願いを、みんなで叶えようってことになったんです」

私は、ふと昔のことを思い出した。父が大切にしていたワイングラスを壊してしまった時、「物はいつか壊れるものだ。でも、それを大切にしていた気持ちは一生壊れることはない」と言って、私を責めるようなことはしなかった。

思春期だった私は、その優しさを素直に受け止めることができず、嫌味を言われているくらいに考えていた。

するともう一人の社員が、私の知らない真相を語り始めた。

「社長は、奥様の病院から危篤のご連絡が入った際、真っ先に駆けつけたんです。でも、それによって奥様は、命が長くないことを察知してしまい、奥様が生きる希望をなくさないためにも、社長は病室をあとにしました。仕事がしたいから病院を出たのではなく、奥様に希望を持ってもらうために、『いつも通り』を演じたんです」

「……!」

社員たちの話を黙って聞いていた父は、ジャケットの内ポケットから1通の手紙を取り出し、私に渡してきた。

「この指輪を渡す日が来たら、晴美に渡すように……と、お母さんから預かっていたものなんだ」

私は、父の細い指先から、母からの手紙を受け取った。

そして淡いピンクの封筒から三つ折にされた手紙をそっと出し、母の想いを開いた。

『愛する晴美ちゃん
元気にしていますか？

この手紙を手にしている頃は、きっとお母さんは天国でお友達とお茶をしていることだと思います。晴美ちゃんが大学生の時、一緒に喫茶店巡りをしましたね。二人とも紅茶が大好きで、お腹がちゃぷちゃぷ言うまで様々なお茶を飲み比べたのを覚えています。とっても楽しかったね。

親子であり、親友でもあった晴美ちゃんと、こんなに早くお別れしなくてはならないことが、本当に悔しいです。でもそれは、生きている晴美ちゃんの方が、お母さんよりもそう思っているかもしれませんね。つらい思いをさせてしまって、ごめんね。

そして、この手紙を受け取っているということは、きっと晴美ちゃんの記念すべき日……ということでしょう。

晴美ちゃん、結婚おめでとう！　晴美ちゃんなら、絶対に幸せな家庭が築けると思います。相手を思いやり、笑顔にしてあげられる奥さんになることでしょう。お父さんとお母さんのように、楽しい時も、苦しい時も、手を取り合っていける夫婦になってくれることを、心から願っています。

本当に大切なことは、どんな時も信じ合うことです。たとえ一緒にいられない時間が続いたとしても、信じ合っていれば、気持ちが離れてしまうことはありません。日々に感謝して、未来を築いていく時間を大切に過ごしてください。

お母さんは、お父さんと晴美ちゃんと家族を築くことができて、本当に幸せでした。

ジュエリーデザイナーをしている頃にお父さんと出会い、そして晴美ちゃんを授《さず》かったことで「お母さん」となれたことを誇りに思っています。心から、生まれてよかったと思っています。

前に、晴美ちゃんは「ジュエリーデザイナーを辞めたことを後悔してない？」とお母さんに聞いてきたけど、お母さんは全く後悔していません。

なぜなら、お母さんにとって一番大切な宝石は、晴美ちゃんだからです。

お母さんの人生を最高に輝かせてくれて、ありがとう。

晴美ちゃんのお陰で、お母さんは毎日笑顔でいられました。

もちろん、お父さんも同じ気持ちです。会社が忙しくて、なかなか時間が作れないと思うけど、私たちを心から愛してくれています。

どんなことがあっても、お父さんは晴美ちゃんの味方でいてくれます。

そして、お母さんの夢を絶対に叶えてくれます。お母さんは、そう信じているので、お父さんがどんなに忙しくても、寂しくありませんでした。

もし、晴美ちゃんが寂しい思いをすることがあったら、この手紙のことを思い出してください。信じることと感謝することを忘れず、素敵な人生を送ってください。

お父さんが叶えてくれたお母さんの夢は、晴美ちゃんの大切な人から受け取ってください。晴美ちゃん……幸せになってね。　　お母さんより』

私は、母が旅立った時の安らかな顔を思い出した。

母があんなにも安らかな顔をしていたのは、希望を抱えたまま旅立ったからなのだ。

そして、父が自分の夢を絶対に叶えてくれると、姿亡きあとまで信じていたのだ。会いたいのに会わないまま見送ってしまった父の方が、もしかしたら私よりずっとつらい思いをしていたかもしれない。母のことを、心から愛していた父だから……。

私は、母のことを愛している父の瞳を、いつしか忘れていた。

母の手料理を食べている時の、あの幸せそうな父の顔を、私は忘れていたのだ。

父が病室に来なかった「状況」しか見ておらず、その向こうで母の回復を願っている父の心を、信じていなかった。

すると、父は辺りを見渡し、微笑みながらこう言った。

「晴美、今日は本当にありがとう。お父さんが案内してもらった特別コース、晴美が考えてくれたんだってね。最高に楽しませてもらったよ。悠介君のお陰で、お母さんの夢を叶えることもできたし、心から幸せだと感じた……。それに、ここは人々が認め合い、褒め合い、生きているだけで価値があるということを実感することができる。生きる希望も与えてくれる。きっと、人が『あるべき姿』になれるところなんだろうね」

「お父さん…」

「今までごめんよ……」

「え…？」

「授業参観も、運動会も、もっともっと晴美の晴れ姿を見に行っておけばよかった……小学生だった晴美とも、大学生だった晴美とも、もっともっとたくさん会話をすればよかった……」

晴れた空から雨が降り始めるかのように、微笑んでいる父の瞳から、涙がこぼれた。口数の少ない父が、ひとつひとつ言葉を選びながら、想いを一生懸命伝えてくれている。

この先、言葉が話せなくなるかもしれないという不安を、一人で抱え込んでいたに違いない。そんな父の涙が、私の心に浸透した。

それに父は、たった1日パークを回っただけで、私が3年間かけてようやく分かったことを感じ取っていた。ここが『あるべき姿』になれるということを……。

もしかしたら、それは父自身が愛に溢れた「人間本来の姿」である証拠なのかもしれない。そして母は、そんな父の本来の姿を、ちゃんと知っていたのだ。

私は、父の不安や葛藤や後悔のすべてを、受け止めてあげたい……と思った。

「お父さん……私こそ、ごめんね。信じてあげられなくて……ごめんね。これからは、お母さんの分まで私がお父さんを信じるから、何があっても信じ続けるから、だからお願い……希望を捨てないって約束して……」

「晴美……」

涙をぬぐった父は、そっと私の手を取り、「ああ、そうだね。晴美の花嫁姿をこの目で見なきゃ、お母さんに叱られちゃうね」と言った。

「お父さん……」

「晴美、最後までお母さんの人生を輝かせてくれて、ありがとう。そして、お父さんの娘に生まれてくれてありがとう。悠介君と幸せになるんだよ。本当に、おめでとう」

父はそう言うと、手にしていた小さな紙袋の中から、淡いピンクの紙ふぶきを舞い上げた。

それは、よく見ると母が大好きだった桜の花びらをした紙ふぶきだった。

「おめでとう！　晴美、おめでとう！」

父は、春には伝えられないかもしれないその言葉を、これでもかと私に伝えてくれた。

真冬の桜ふぶきを舞い上げながら、何度も何度も伝え続けてくれた。

私は、「またみんなで桜が見たいね」と言っていた母の言葉を思い出した。

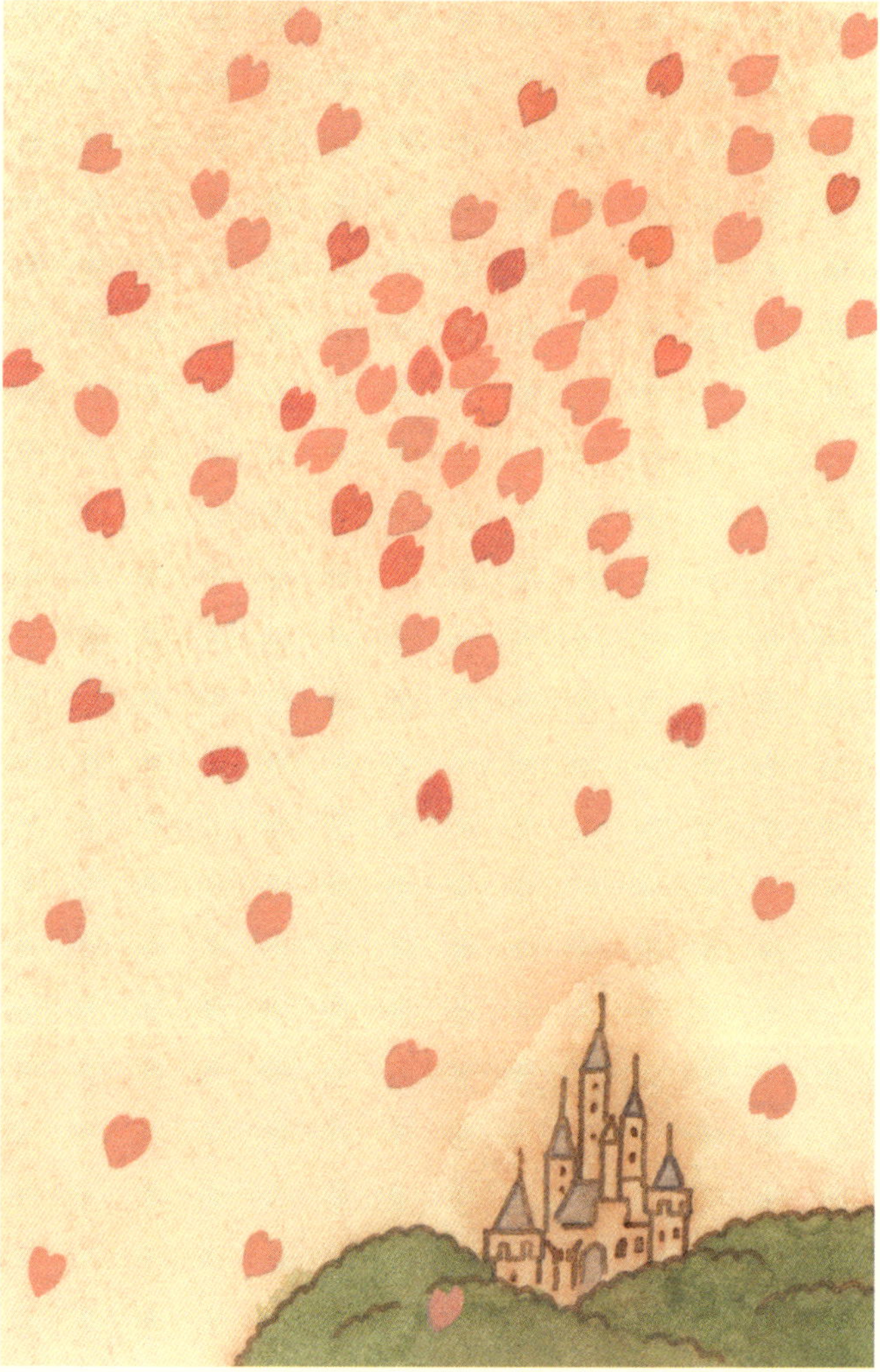

人は、いつか必ず死を迎える。

その時までに、いったいいくつの言葉を大切な人にかけてあげられるだろうか。

私は、父の娘に生まれたことを心から感謝し、そして言葉にして伝えた。


「お父さん、私たちを愛してくれて……ありがとう」


社員を家族のように思い、そして母の夢を守り続けた優しい父。

そんな父と、人生を共にしていた母は、あるべき姿のまま旅立っていった。


お互いを信じ合い、そしてお互いの存在を認め合い、私たちは生かされている。

「ありがとう」という感謝の言葉は、重ねれば重ねるほど、決してほどけることのない絆の糸となる。

その絆は、姿なきあとまで、大切な人の中で結ばれ続けるのだ。

両親のように、互いを信じ合い、感謝を伝え合えるような家族を築いていこう……

と、天国の母とつながっている薬指のリングに、私は誓った。

数年後

入場制限という制度は、パーク内のゲストの安全を守るとはうらはらに、パーク外のゲストの笑顔を奪ってしまうこともある。

晴美が対応したゲストのように、納得のいかない気持ちを抱えたままディズニーランドをあとにするゲストも少なくない。

そんなゲストたちの背中を見るたび、僕は「このままじゃいけない」と、心のどこかで思い続けていた。

そして入社3年目だった晴美は、その葛藤の壁とぶつかり、成長の階段をまた1つ上った。

「規則だから仕方ない」という一言で片づけるのではなく、パークの中に入れなかったゲストに対しても、また必ず来てもらいたい……という気持ちを込めて、思いやりのあるおもてなしを精一杯努めることを学んだのだ。

キャストたちがそういう気持ちで仕事をするためには、教育する僕たちが、まず全身全霊でキャストたちをサポートし、そして信じ、共に同じ目線で問題と向き合うことが大切である。

僕たちが、階段の下に張られている網となることで、成長の階段を上っている若いキャストたちは、確実に、そして安心して上っていくことができるのだ。

また、彼らの好奇心や勇気を引き出すことで、仲間たちの絆は確信となり、一貫性のあるおもてなしをゲストに提供することができる。

それを、ディズニーでは『4つのC』と呼んでいる。

「Curiosity（好奇心）」「Confidence（確信）」「Courage（勇気）」「Constancy（一貫性）」。

ウォルトは、この4つのCを守り抜くことで、人々の幸せを追求する世界を創造することができた。一人一人が、あるべき姿でいられるディズニーランドを……。

そんな愛に溢れた世界を作ったウォルトは、このようなことを語っていた。

『その時は気づかないかもしれないが、失望することが最高の結果を生み出すこともある』

僕自身、改めて「入場制限」について考えさせられた。

入場制限によってパークへ入れないゲストの背中を見るたび、「仕方がない。ゲストの安全を守るためだから仕方がないんだ」と、自分に言い聞かせてきたが、「入れないから仕方ない」が正解ではない。

一人でも多くのゲストを笑顔にするためにも、ディズニーランドはさらに成長しなければいけない……と。

しかしそんな葛藤は、ある計画によって大きな希望に変わった。

ディズニーのテーマパークを、もう1つ制作する計画が浮上したのだ。

それは、世界の七つの港町をテーマにした「ディズニーシー」というパークである。

僕は、人事部の担当役員の随行者《ずいこうしゃ》として任命され、テーマのモデルとなるイタリアのポルトフィーノという港町へ視察に行くこととなった。

そしてその数年後、ディズニーシーの計画は無事に実現し、今では入場制限でパークに入れない人の数も減った。さらに多くの人に「幸せ」を届けることができるようになった今だからこそ、決して完成することのないディズニーランドと同様、僕の中で「新たな夢を叶えたい」という気持ちが湧《わ》き始めた。

それは、ディズニーランドの教えを、ディズニーランド以外の人々にも広めたい……という夢だ。

僕は、15年間勤めたディズニーランドを去る決意をした。

数えきれないほどの言葉を掛け合った仲間との絆も、社員たちの教育についても、何も心配はいらない。愛に溢れたここは、これからも互いが認め合い、褒め合い、信じ合っていくことにより、新人キャストが心から笑顔になることも約束されている。

だからこそ、ディズニーランドで得たおもてなしの思想を、もっともっと多くの方に広めたい……。もしかしたら、予想もつかない失敗をするかもしれないが、それでもきっと夢を叶えられると信じている。そして仲間たちも信じてくれている。

なぜなら、失敗の数だけ成長するということを、僕たちは確信しているから――。

2011年3月

あの決意から、14年の月日が流れ、数えきれない人々にこれまでの経験やディズニーランドで培った成功の原則を伝えてきた。

もちろん、あの頃の仲間との絆も変わらず築きつつ、夢を叶え続けている。

また、一人のゲストとして、今も時々ディズニーリゾートを訪れることもある。

あの現実とは思えないほど、恐ろしい災害が起きた2011年3月11日も、僕はディズニーシーへ足を運んでいた。

そして、奇跡とも言えるキャストたちの対応を、目の当たりにしたのだった。


【第3話へ続く】

第３話

絆の糸電話

２０１１年3月11日　午後2時46分
それは、きらびやかなパレードが始まる直前だった。

僕たちが踏みしめているコンクリートの地面は、まるで生きているかのように波を打ち始め、ショーの音楽を奏《かな》でるスピーカーは倒れそうなほど大きく傾いた。

木々に止まっていた小鳥たちも一斉に飛び立ち、辺りでは子どもや女性の悲鳴も聞こえている。

「皆さん、建物から離れてください！　落ち着いてください！」

東日本一帯に被害をもたらした、東北地方太平洋沖地震――。

目に映る光景が、本当に「現実」なのか疑わざるを得ないその地震は、ディズニーリゾートに訪れていた7万人の笑顔を、一瞬で奪った。

全キャストの多くがアルバイトで成り立っているディズニーリゾートは、この状況をどのようにして切り抜けるのだろうか。

もはや夢の国とは思えないこの空間で、キャストは夢やハピネスを提供し続けることができるのだろうか。

――1時間前――

15年間勤めたディズニーランドを卒業した僕は、ディズニーで学んだ成功の原則を広めるべく、日々、講演に励んでいる。

今では、一人のゲストとしてディズニーリゾートを訪れ、そして今日もディズニーシーへ来ているのだ。

まるで第2の故郷に帰ってきたかのような気持ちでパークを歩いていると、若いキャストが笑顔で挨拶《あいさつ》を交わしてくれ、思わず「ただいま」と言いたい気持ちになる。

すると、一人の若いカストーディアル（清掃員）が、僕に話しかけてきた。


「あの……失礼ですが、金田さんですよね？」

「ええ、そうですが……」

「僕、木村亮介《りょうすけ》と言います。実家が宮城で、旅館を営んでいる木村です」

「え……？　君、あの亮ちゃん？」


亮介とは、故郷が同じ宮城で、彼のご両親と僕は、昔からの知り合いなのである。

5年ほど前、亮介がディズニーシーで働き始めたということは聞いていたものの、実際にパークで会うのは初めてだった。

確か、今年で25歳になると聞いている。

「亮ちゃん、お父さんお母さんはお元気ですか？」

「はい、お陰さまで。実は今日、義理の兄がここへ来るんです」

「ああ、旅館を継がれたという、お姉さんの旦那さんですね？　ご旅行か何か？」

「いえ……たぶん、僕を連れ戻しに来るんだと思います」

「……？」

「旅館の経営がうまくいってないらしく、僕も手伝わなくてはならない状況と言いますか……」

「そうでしたか……、でも、亮ちゃんはディズニーリゾートで働くのが夢だったんだよね。5年も勤めたのにもったいないですね……」

「ええ、まぁ……。でも、僕なんかより優れたキャストはたくさんいますし、田舎でのんびりと暮らした方が、僕に合ってるのかもしれません」


どことなく本心ではないと思われる亮介の発言が、僕は気になった。

しかし、勤務中ということもあり、「またあとで」と声を掛け合い、僕らはその場をあとにした。

それにしても、ご実家の旅館がそこまで大変なことになっていたとは……。

半年ほど前、亮介の両親が営む旅館で、食中毒が発生したという話は、風の噂《うわさ》で聞いていた。

しかし、大正時代から続く老舗旅館のため、どんな苦境もきっと乗り越えるだろうと考えていた。

とはいえ、一度失った信頼を取り戻すのは、簡単なことではないのだろう。経営者は、従業員の家族の生活も抱えていると言っても過言ではない。僕も、自分の会社を設立してみて、そのことは実感した。

そして気持ちを入れ替え、ぼちぼち始まるパレードの席を取ろうと、辺りを見回ることにした。

亮介と別れて1時間ほど経ち、パレードが始まるアナウンスが流れた。

想像以上に良いスペースも確保でき、きらびやかな行列を待つばかり……と思っていた矢先、めまいでもしたかと疑うほど、地面が揺れ始めた。

揺れは、みるみる大きくなり、辺りに立っていたゲストたちは、みんな一斉にしゃがみ出した。

子どもや女性たちは悲鳴をあげ、止まらない揺れに身を任せるしかない状況となった。

「皆さん、建物から離れてください！　落ち着いてください！」

キャストたちは、ゲストの不安を取り除くべく、笑顔を絶やさずに指示を出し続けている。

ただ、パレード前だったということもあり、比較的ゲストたちは外にいたため、避難の指示は出しやすいように思われる。

ゲストとしてディズニーシーへ訪れていた日に、このような事態が起きるとは

……。

そして、揺れを感じ始めてから40秒ほど経った時、建物から離れるよう安全を促す場内アナウンスが流れた。

すぐさま携帯電話のラジオ機能で詳しい情報を聞くと、震源地は太平洋三陸沖で、震源域は岩手県沖から茨城県沖とのこと。

のちに僕たちは、その地震が日本観測史上最大であることを知った。

僕は、真っ先に家族を思い出すと共に、宮城にいる親族の無事を願った。

そういえば、今日は亮介の義理の兄が宮城から来ると言っていたが、無事に会えたのだろうか。

このような事態となってしまった以上、もし会えていないとしても、亮介は目の前の任務を果たすことで精一杯だろう。

亮介に限らず、キャストたちはゲストの安全を守るため、全力で「できること」を努めなくてはならない。

そのために、ディズニーリゾートでは年間延べ１８０回もの避難訓練が行われている。

震度6強で10万人のゲストがいた場合を想定し、キャストたちは訓練を重ねているのだ。

もはや、日本中の誰もが予測していなかったこの大地震が、ディズニーリゾートの中では「想定内」であることを願い、僕はゲストとしてキャストたちの指示に従うことにした。

地震1週間前　2011年3月4日

妻の実家が営む旅館に勤め、早5年の月日が流れた。

当時、20歳だった妻の弟は、東京へ上京するという夢を叶えるため、5年前にこの地を離れた。この家の長男だった彼は、幼い頃から旅館の跡継《あとつ》ぎとして育てられたものの、敷かれたレールに重荷を感じたのか、先代の猛反対を振り切って、東京へ行くことを決めた。

そのことにより、妻と結婚していた僕は、必然的にこの旅館の若旦那として跡を継ぐこととなったのだ。

調理の専門学校を卒業してから、様々な飲食店でシェフをしていた僕は、妻の旅館を継ぐと共に「料理長」も任されることとなった。

僕は生まれ育ったこの町が好きだったし、何より、いずれ妻と一緒に何らかの店を持てたらいいな……と考えていたため、その夢が旅館を継ぐことによって叶ったと思い、大きなやりがいを感じていた。

だから、東京へ行った義理の弟を憎いと感じたことは、一度もない。

むしろ、夢を叶えることに心から賛成し、僕自身も彼の背中を押した。

ただ、40歳を迎えた今年、旅館は創業して以来初めての事態を迎えてしまった。

それは、今から半年前、毎年利用してくれている団体の中に、食中毒のお客様を出してしまったことだ。

もちろん、衛生管理は徹底していた。他のレストランに勤めていた頃も、食中毒など起こしたことは一度もなかった。

しかし、そんな言い訳に聞く耳を傾けてもらえることもなく、小さな田舎町では、またたく間に悪い噂が広がった。

そしてとうとう、経営は再生不能に近い状態まできてしまったのだ。

連日、借金の取り立てに追われ、仕事をしている時もご飯を食べている時も、生きている心地がしなかった。

次第に、僕は心のバランスを崩し、眠れない夜が続いたり、何をしていても頭がボーッとしてしまったり、息をしていることすら「つらい」と感じることもあった。

そんな矢先、僕は妻の両親に呼び出された。


「仕事中、呼び出して悪いね」

「いいえ、今日は団体さんのご予約もありませんし、大丈夫です」

「いや、その事態が、まさに大丈夫と言えるかどうか……」

「まぁ……確かに」

「実は、健太郎君にお願いがあってね」

「僕に……お願いですか？」

「ああ、東京にいる真希の弟を、呼び戻してきてほしいんだ」

「えっと……亮介君を……？」

「そう、今のこの旅館は、従業員に払う給料すら難しい状態だ。だから身内に手伝ってもらい、どうにかこの厳しい状況を切り抜けなければならない……。誰も辞めさせたくないという健太郎君の気持ちは、よく分かっているつもりだが、しかし、給料を払えないまま従業員に続けてもらうわけにもねぇ……」


僕は、ひとまず「分かりました」と言った。

とはいえ、亮介が戻ってきたとしても、この旅館を継続することはもう無理だろう……と、心の中で思っていた。

仮に、立て直すことができるとしたら、それは多額の寄付でもしてもらわない限り難しいと言える。

その時、僕の頭の中に1つの案がひらめいた。いや、ひらめいてしまった。

「(そうだ、僕が死ねば、その保険金で立て直すことができるかもしれない…)」

真希と結婚した時に加入した生命保険は、すでに10年近く継続している。

今もし僕が自ら命を絶ったとしても、いくらか支払われることは間違いない。

そのお金で、旅館が再び信頼されるための対策を立てればいい……。

僕自身が命をかければ、立て直すことができるのだ。

そうすれば、せっかく東京で夢を叶えた亮介を、無理やり引き戻さなくてもすむ。

僕の亡きあとまで、みんなが幸せに暮らすことができる。家族のために、この命が役に立つのなら、僕はそれで幸せだ。

来年小学生となる娘の舞に、新しいランドセルを買ってあげることもできるし、たとえその時僕がいなくとも、真希がしっかりと育ててくれると信じている。

僕は、亮介を連れ戻すという名目で、東京へ行くことを決めた。

＊＊＊＊＊

東京へ行く前日、僕は遺書を書いた。

心の中のすべての愛を吐き出すかのごとく、家族への思いを書きつづった。

すると、僕がいる「支配人室」のドアを、誰かがノックした。

すぐさま書きかけの遺書を机の中にしまい、「はい」と返事をすると、「パパ」という声が聞こえた。

その声は、来月幼稚園を卒園する娘の舞だった。

舞は、背伸びしながら支配人室のドアをあけ、中に入ってきた。


「舞、どうした？」

「あのね、パパ……お願いがあるの」

「お願い？」

「うん。パパ……亮介おじちゃんのいるディズニーシーへ行くんだよね？」

「あ、ああ……そうだよ」

「じゃあ、ダッフィーを買ってきて」

「ダッフィー……？」

「そう、フワフワのかわいいクマさんなの」

「クマさんの……ダッフィー？」


僕は、一瞬頭が真っ白になった。

叶えられない約束と分かっていても、「いいよ」と答えてあげるべきなのだろうか。

すると舞は、僕の顔色を伺《うかが》うかのように、質問してきた。


「だめ？」

「いや……だめじゃないけど……」

「ママがね、パパは遊びに行くんじゃないから、わがまま言っちゃだめって言うの……でもね、わたし……どうしてもダッフィーがほしいの。だって、東京に行ったお友達は、みんな持ってるんだもん……」

「ダッフィーかぁ……」

「ね、お願い！　パパ。7歳の誕生日プレゼントも、次のクリスマスプレゼントもいらないから、お願い！　お友達と同じように、ぎゅぅっとダッフィーを抱きしめたいの！」


舞は、必死な顔で僕をまっすぐ見てきた。

誕生日プレゼントも、クリスマスプレゼントもいらないと思うほどほしいと言っている物を、むやみに「だめ」と言うわけにもいかない。

何より、父親として「買ってあげたい」という気持ちが、強くこみ上げている。

そうだ、東京から送ればいい。「もう少しこっちに用事があるから」と言って、ひとまずぬいぐるみだけ郵送すればいい。

「いいよ。ダッフィーを買ってきてあげるよ」

するとは、満面の笑みで僕に抱きついてきた。

僕は、小さくて温かい舞を抱き上げ、ぎゅっと抱きしめた。

目の中に入れても痛くないこの子のためなら、命のひとつやふたつ捧げたって惜しくない……。心の底から、そう感じた。

地震当日　2011年3月11日

東京駅に着くと、どことなく宮城とは違う空気を感じた。

気温というより、人や建物の空気感の違い……といったところだろうか。

昨夜、真希と舞と川の字になって寝た僕は、最後の「家族」の温かさに触れ、布団の中で涙を流した。

そんな様子に気づいた舞は「パパどうしたの？　こわい夢でも見たの？」と聞いて

きた。僕は、「いや、ママと舞と家族になれて幸せなんだよ」と答えると、「幸せでも涙って出るんだね」と、ママ似の笑顔で微笑んだ。僕は、さらに涙が溢《あふ》れた。

二人が眠りについたのち、僕はそっと支配人室へ行き、書きかけの遺書を燃やした。

何度も何度も書き直したものの、どんな言葉を選んでも、40年分の思い出をリセットできる言葉は見つからなかった。

ましてや、そんなものを残せば、妻は一層悲しむかもしれない。いや、引き止められなかった自分のことを責めてしまうかもしれない。だから、このままでいい。このまま何も残さず死のうと僕は決めた。

そして、再び布団に足をもぐらせ、東京でどうやって人生の終止符を打つか……ということを、目をつむりながら考えた。しかし、それはディズニーシーを出てから改めて考えようと決めた。川の字で寝ている「今」を噛みしめ、僕は眠りについた。

ディズニーシーに着いた僕は、亮介から事前に送られてきたチケットを取り出し、入園ゲートをくぐった。

すると、そこはまるで別世界だった。

今まで見たことがないくらい大勢の人が溢れ、そしてその人々はみんな笑顔だった。

カメラを構えるお父さん、キャラクターと握手をする子どもたち、行き交う人々との会話、すべてが「夢の中」を絵に描いたような景色だった。

亮介の話によると、ここでは従業員のことを「キャスト」と呼び、お客様のことを「ゲスト」と呼ぶそうな。

まさに、このすべての空間が「ステージ」ということを意識させているのだろう。

亮介は、こんなにも幸せな笑顔に包まれた環境で働いているのか……と思うと、より一層このままここで働いてもらいたい、と心から感じた。

夢を叶えたことも素晴らしいが、それを継続することはもっと素晴らしい。義理の弟とはいえ、縁あって僕らは兄弟となった。兄として、義弟の亮介を精一杯応援してあげたいと思う。

そんな笑顔溢れる光景に圧倒されていると、妻からメールが入った。

『東京はどう？　亮介には会えた？　こっちは心配いらないので、たまには羽を伸ばしてきてね。　真希』

思いやりのある優しい文面に、複雑な感情がこみ上げた。

とりあえず、その優しさに感謝する返事を打とう……と考えていると、ぶら下がっているプレートや電灯などがグラグラと揺れ始めた。

「（地震かな？　どうせ、すぐに収まるだろう）」と思ったものの、その揺れは次第に立っていられないほどの大きな揺れとなっていった。

音楽を奏でていたスピーカーは倒れそうなほど傾き、あちらこちらで悲鳴が聞こえてくる状況に、何が起きたのか僕は一瞬理解できなかった。

すると、場内アナウンスにて建物から離れるよう安全を促す指示が流れた。僕の隣にしゃがんでいるカップルは、身を寄せ合いながら携帯電話の画面をのぞき込み、

「うそ！　震源地の東北は、震度は7を超えているかもしれないって！」と言った。

僕は自分の耳を疑った。

今、自分がいる場所すら疑った。

そして、じわりじわりと「現実」が僕を襲い、宮城に残してきた真希と舞の顔が浮かんだ。

家族を守るために東京へ来たというのに…。

死ぬのは自分だけでいいのに…。

こんな時に限って、家族の近くにいない自分の運命すら憎く感じた。

もし、真希や舞の身に何かあったら…。

もし、僕だけ生き残ってしまったら…。

僕は、すぐさま真希の携帯に電話をかけた。

しかし、回線が混雑しているのか、呼び出し音すら鳴らない。

携帯にも旅館にも、何度も何度もかけ直した。無事を尋《たず》ねるメールも送った。しかし、電話もメールも1つも返事がない。

一瞬、「これはもしかしたら罰かもしれない」と感じた。家族を救うためとはいえ、死を選んだ選択に対する罰ではないか……と。

最悪の情景を思い浮かべないよう、気を紛らわすためにも、ひとまず亮介を探すことにした。

２０１１年３月11日　３時22分

大きな揺れが起きてから、30分ほどが経った。

キャストである僕らは、余震に気をつけるようゲストに伝えながら、安全な場所へ誘導している。

本部では、すでに「地震対策統括本部」が設置され、社長自らがリーダーとなり、指揮命令を出すこととなったという連絡を受けた。

ゲストの安全を第一とするよう、常々訓練されているものの、僕は宮城の実家のことが気になって、「今、何をするべきか」など考える余裕はない。

電話をかけたいが、携帯はロッカーの中にあるため、更衣室まで行かねばならない。

僕はトイレへ行く許可をもらい、その場から立ち去った。

足早に更衣室へ入り、携帯の電源を入れ、即座に電話をかけた。

しかし、実家はトゥルルルという呼び出し音すら聞こえてこない。

「（もしや……古い旅館ゆえ、倒壊してしまったなんてこと……）」

僕は、いてもたってもいられなかった。

継ぎたくないと思った旅館とはいえ、生まれ育った家に変わりはない。

実家は、大正時代から継がれている旅館で、細かい「おもてなし」にこだわっている。

年賀状を手書きで書いたり、頼まれてもいないのに靴を磨いたり、なぜそんなにも手間をかけるのか、僕には理解できなかった。

そんなことをしなくても、今の時代、安い宿はいくらでもある。

値段が安ければ、そこそこのおもてなしでも客は満足するだろう。

老舗旅館など、伝統を守るために休めないし、全然割に合わないことばかりだし、ばかばかしいとずっと感じていた。

自分は、そんなことしたくない。もっと、目に見える「やりがい」を手に入れたい。

だから、華やかなディズニーランドで働こうと思った。

従業員一人一人の働く姿が目に見える空間なら、もっと人から感謝され、それがやりがいにつながるだろうと思ったのだ。

でも、実家を出て5年が経つ今は、あの時感じたやりがいすら失いかけていた。

子どもの頃から、古いおもてなしの精神を押し付けられることに嫌気がさしていたが、そのおもてなしの精神は、ここでも同じように教え込まれ、そのことに負担すら感じ始めていた。

「夢を叶えたいから東京へ行く」などと言って出てきてしまった手前、帰るきっかけもつかめず、僕はダラダラと日々を過ごしていたが、1週間前、姉さんから義兄さんがディズニーシーへ来るということを聞き、きっと僕を引き戻しに来るのだろうと察した。これは、実家に帰るチャンスかもしれない……とすら思った。

実家なら、今よりももっと良い立場で働けるだろうし、もっと気楽で居心地もいいかもしれない。

義兄さんに会ったら、一緒に帰ることを伝えようと思っていたのに、こんな事態になるなんて……。

ひとまず、ゲストの安全に気を配りながら、僕は義兄さんを探すことにした。

地震発生から1時間後

その後、やや大きな余震が一度あったものの、キャストたちの冷静な対応によって、パニックを起こしている人は特に見当たらなかった。

僕は、辺りに気をつけながら亮介の持ち場へ向かったが、亮介の姿は見当たらなかった。

このような緊急事態ゆえ、他の場所の任務を任されているのだろうか。

大きな不安と心細さと抱えたまま、僕は亮介を探した。

すると、一人の女の子が僕の目の前で転んだ。


「お嬢ちゃん、大丈夫？」


とっさに、僕は女の子を抱き上げ、ひざについたホコリを取り払ってあげた。

舞と同じ年くらいだろうか。どうやら、この状況の中、親とはぐれてしまったようだ。

さらには、転んだ拍子にブラウスの袖に付いていたミッキーマウスのボタンが取れたらしく、床にポツンと落ちている。

そのボタンを拾った女の子は、一層泣き出し、「ママぁ！」と姿の見えない母親を呼んでいる。

もしかすると、真希と舞もこのような事態になっているのではないだろうか。

舞は幼稚園に行っている時間だが、無事、真希に会えただろうか。

僕は、泣いている女の子に「あとでボタンを付けてあげるから、泣かないで。ほら、一緒にママを探しにいこう」と言い、これ以上迷子にならないよう手をしっかりつないだ。

そして手をつなぎながら、再び僕は真希の携帯に電話をかけてみた。

しかし、やはりつながらなかった。すると、1件のメールを受信した。

なんと、それは真希からだった。

件名は書かれておらず、本文には『針』とだけ書かれてある。

メールの内容は、この一文字だけだった。

文字数が多いと、通信する速度が遅くなるため、サーバーが混雑している時は相手に届きにくい……ということを聞いたことがある。

それにより、真希は必要最小限の言葉を送ったのだろう。

でも、この文字の意味が、僕にはさっぱり分からない。

針

針で怪我でもしたというのか？　いや、辺りが針のようにとげとげしい情景となってしまったのだろうか？

返事をしたいが、なんて返したらいいか分からない……。

どんな状況にせよ、現時点で真希が無事ということが分かり、ひとまず胸をなでおろした。

そして迷子の女の子と共に、みんなが避難しているレストランへ向かった。避難する途中ではぐれたとしたら、きっと母親は先に着いているかもしれない。

するとその途中、小さな余震を感じた。本当に小さな揺れだったが、ついさっきの恐怖がよみがえり、あなどれない……と思った。

辺りにいたキャストたちも、ゲストの不安を察したのか、「皆さん、落ち着いてください！　私たちが必ずお守りしますので、安心してください！」と声をかけると、一人の女性キャストがショップから多くのぬいぐるみを持ち出してきた。

こんな時に大量のぬいぐるみを持って、どこへ行くのかと思いきや、パークを歩くゲストたちに「これで頭を守ってください」と言って配り始めた。

僕のところにも来て、女の子の分と合わせて2つのぬいぐるみを渡してくれた。

手をつないでいた女の子は、「ダッフィーだ！」と言い、ぬいぐるみを抱きしめると、言われた通りそれを頭上に乗せ、防災ずきんの代わりにした。

「（このぬいぐるみが……ダッフィー？）」

僕は、舞のことを思い出した。

『ね、お願い！　パパ。7歳の誕生日プレゼントも、次のクリスマスプレゼントもいらないから、お願い！　お友達と同じように、ぎゅうっとダッフィーを抱きしめたいの！』

そう言っていた舞の言葉を思い出すと同時に、僕は手にしているダッフィーを抱きしめた。強く強く抱きしめた。

「おじちゃんも、ダッフィー大好きなの？」

手をつないでいた迷子の女の子が、僕にそう言ってきた。

「ああ、そうだよ。おじちゃんも、ダッフィーが大好きなんだ」

今ごろ、舞は泣いていないだろうか。変わり果てた町で、この子のようにさまよっていないだろうか。

おびえている舞を想像しながら、僕はもう一度ダッフィーを抱きしめた。

「(舞に渡してあげたい……。僕の、この手で舞に渡してあげたい……)」

ダッフィーを頭上に乗せ、防災ずきんの代わりにしながら、女の子と共に避難所のレストランへ向かった。

それにしても、こんな高価なぬいぐるみを上司の許可もなく配ってしまって、若いキャストたちは怒られないのだろうか。

もちろん、あとで回収したとしても、商品として棚に並べることは難しいだろう。

レストランに着くと、案の定、女の子の母親が入り口に立っていた。

「ママ！」と言って母親に飛びついた姿を見届け、僕はレストランの中央へと進んだ。

スペースを確保するために、机を2段に積み上げられているレストランは、まるで放課後の教室のような雰囲気と言える。

なるべく人の少ないところへ進み、立ったまま壁にもたれかけ、もう一度真希からのメールを読み直した。

読む……と言っても、『針』と一文字書かれてあるだけだが、一文字だけに、何を言いたいのか読み取ることは難しい。

昨夜、三人で川の字になって寝ていた際、針について何か話しただろうか。記憶の隅々を探すものの、そのような会話をしたことは、どうしても思い出せない。

もしかしたら、ディズニーの共通用語だろうか。何をどう表しているのか全く分からないが、亮介に会ったら念のため聞いてみようと思った。

そうとなったら、ここで避難している場合ではない。僕は、レストランを出て亮介を探しに行くことにした。

すると、近くを通った男性キャストが、「どちらへ？　今歩き回るのは、まだ危険です」と言った。「弟を探してるんです」と僕が言うと、「一緒にお探ししましょうか？」と言ってくれた。しかし、小さな子どもを探すわけでもなく、こんな大変な時に私事で手を借りるのも……と思い、「大丈夫です。ありがとうございます」と言い、僕はレストランを出た。

その直後、背後から「お気をつけて」と声をかけてくれた。

振り返ると、今話していた男性キャストが、心配そうに見送ってくれている。

こんな時にも、ゲストの身になって受け答えしてくれるなんて……。自分自身の家族のことだって、さぞかし心配だろうに……。

僕は、その笑顔に救われた気がした。

パークの中を一回りしたものの、亮介を見つけることはできず、僕は再びレストランへ戻ってきた。

もしかして、仕事を抜け出して宮城に向かったなんてこと……。実家を心配するあまり、そのような行動に出てもおかしくない。いや、通常の人間なら、仕事よりも家族を優先するのは当たり前だ。

そんなことを考えていると、レストランの中央から「お腹すいた！」という男の子の声が聞こえた。

そうは言っても、こんな状況で調理場が使えるとも思えない。かといって、弁当などを持ち込んでいる人も、限りなく少ないだろう。みんな、食事をすることを含めて、楽しみに来ているだろうから。

すると、アルバイトと思われる若いキャストが、ショップで売られているクッキーの缶を大量に持ってきた。

そして、それらを周囲のゲストに配っている。

僕は、「そんなことして、本当に大丈夫だろうか……」と心配になりながら、その様子を見ていた。

そんな思いが伝わったのか、隣に座っていた60代くらいのゲストが、僕に話しかけてきた。

「ここのおもてなしは、本当に徹底してますよね」

「ええ、ほんとに……彼らは、さっきから勝手に商品を持ち出していますが、大丈夫なのでしょうか」

僕の単純な疑問に対し、その男性ゲストは自信満々でこう答えた。

「大丈夫ですよ」

「どうしてそんなことが分かるんですか？」

「それは、僕自身がここに勤めていたからです」

「……！」

「『ここ』と言っても、シーができる前のことですから、ディズニー「ランド」ですけどね。15年間勤めたのち、退社して自分の会社を作ったんです」

「なるほど、そうでしたか。ディズニーでは、昔からこのようなサービスが行われていたんですか？」

「僕が勤めていた間に、このような災害が起きたことはありませんでしたが、もし起きてしまったら、ゲストのことを一番に考えた対応をするように……という教育はしてました。とはいえ、『こうしなさい』という具体的なマニュアルはないので、キャストたちはゲストにとって一番ベストな行動を、自己判断で取っているんです」

正直、僕は驚いた。こんなにも徹底したサービスを、今まで見たことがあっただろうか。しかも、上司と部下の信頼関係がきちんと成り立っている。なんだか、自分のしてきたことが恥ずかしく感じた。そして、その気持ちを素直に伝えた。

「僕は、宮城で旅館を営んでいるのですが、ここで働くキャストの方々を見ているうち、なんだか自分が恥ずかしく思えてきました」

「宮城で……？」

「はい、大正時代から受け継がれている古い旅館なんですが、最近経営がうまくいってなくて……こんな風に徹底したおもてなしをしていれば、きっと傾くようなことにはならなかったのかもな……と」

「あの……失礼ですが、もしかして亮介君の義理のお兄さんでいらっしゃいますか？」

「……！　ええ、そうですが……」

「僕は、金田と言います。お宅の先代とは、昔からの知り合いでして」

金田という名前は、聞いたことがあった。

確か、真希の両親を訪ねて来られた際、一度くらいすれ違っているかもしれない。

また、僕の記憶が確かなら、金田はディズニーランドの全社員を教育する責任者だったと聞いたような……。


「大変失礼いたしました。金田さんのことは、先代から常々聞いております。それにしても、よく僕のことが分かりましたね……？」

「いや、実はさっき亮介君に会いましてね。義理のお兄さんが今日いらっしゃるということを聞いておりましたので、もしかして……と」

「亮介君に？　僕は、さっきから彼を探しているのですが、まだ会えてなくて……」

「そうでしたか、それは心細かったでしょうね。彼はキャストになりたいという夢を立派に叶え、いきいきと働いてましたよ」


その情報が聞けただけでも、僕は少し安心した。

やっぱり、無理に引き戻さない方がいい……と心の中で確信した。

「金田さんに会えてよかったです。これもきっと、何かのご縁なのかもしれませんね」

「ええ、そうですね。僕も、亮介君のお義兄さんに会えてよかったです。もしかしたら実家の旅館に引き戻されるかも……と聞いていたので、どんな方かなと思ってました」

「妻の両親からは、連れ戻してくるように言われていたのですが、僕は亮介君に夢を叶え続けるように言おうと思ってたんです。だから、金田さんから亮介君の様子を聞くことができて、今ホッとしてるんです」

不思議なくらい、僕は心を開いて話をしていた。

これも、真のおもてなしに触れたお陰なのだろうか。

すると、クッキーを持った若いキャストが僕らのところへ近づき、1箱ずつ手渡してくれた。僕は、単純な疑問を金田に投げかけた。

「このような商品を分け与えてくれることは、ゲストとしてとても嬉しいのですが、ディズニー側としては、大損することを覚悟している……ということなのでしょうか？」

金田は、手にしているクッキーを一口頬張《ほおば》ると、予想もしていなかった回答を発した。

「ウォルト・ディズニーは、お金儲けのためにディズニーランドを作ったわけじゃないんですよ。人間が、本来のあるべき姿になれる空間を作るために始めたんです」

「人間の、あるべき姿……ですか？」

「はい、人と人が認め合い、褒《ほ》め合い、許し合う関係を保つことによって、愛に溢れた人間本来の姿を引き出せると、ウォルトは考えていたんです。そして、キャスト全員が『あるべき姿』でいることによって、ゲストへのおもてなしにも愛を込めることができる……と。だから、僕たちは上司とか部下とか関係なく、互いを信じ合うんです」

「それは本当に素晴らしいことだと思いますが、それを継続するには、やはり膨大な資金が必要なのでは……？」

「確かに、何かを作るためには、お金が必要となります。ただ、利益や集客を継続するためには、逆にお金をかけるだけではだめなんです。人々が、このディズニーリゾートに何度も訪れるのは、新しいアトラクションやお店を楽しむより、もっと大切なことを実感できるからなんです」

「もっと……大切なこと？」

「ええ、それは『幸福感』ですよ。目に見える物や形ではなく、『幸せ』と感じる瞬間を実感するために、何度も足を運ばれるんです。そしてキャストは、目の前のゲストを幸せにすることで、お金や物よりも大切な報酬を得られるんです」

「報酬が、お金ではない……と？」

「そうです。かけがえのない報酬《ほうしゅう》はお金や物ではなく、ゲストからの『ありがとう』

という言葉なんですよ。もちろんゲストだけではなく、家族からの『ありがとう』も最高の報酬と言えるかもしれませんね」

「ありがとう」というたった5文字の言葉のために、ここまで徹底したサービスを実行できるディズニーリゾートは、本当に「夢の国」かもしれない……と、僕は感じた。

おもてなしに対する共有意識を持つためには、きっと「従業員」という枠を超え、人としての絆《きずな》を結んでいるのだろう。僕が営む旅館には、それほどまでの絆があると言えるだろうか。

そのような絆が従業員と客の間に結ばれていたら、3カ月前に起きた食中毒騒動も、波紋が広がることなく収まったのかもしれない……。そして、僕が自ら死を覚悟することも、なかったのかもしれない……。

僕自身が『あるべき姿』となれれば、今からでも旅館を立て直すことは可能なのだろうか。

ふと、ひとすじの希望の光が見えた気がした。

「お義兄さん、クッキー食べないんですか？　美味しいですよ」

金田は、満面の笑みで僕にそう言った。

「なんだか、もったいなくて……」

「お腹がすいているなら、食べたらいいんです。そうしてもらいたくて、キャストは配っているんですから。そして、いつかまたここへ来た時、今度はご家族で買って食べたらいいんですよ。ウォルトも、こんな言葉を残しています。『安いか高いかなんて心配しなくてもいい。良質かどうかだけを考えればいいんだ。もしそれが十分に良いものなら、人々はその見返りをきちんと払ってくれる』……と」

僕は、その言葉に心が揺さぶられた。

サービスの行き着く先は、「利益」ではなく、その先に本当の見返りがあるのだ。

目先の損得や効率だけを考えるのではなく、「お客様が満足するおもてなし」と向き合うことで、お客様は自然と帰ってくるのだ。

自分で決めていた「限界」は、もしかしたらまだ限界ではないのかもしれない。

今はまだ、おもてなしの種をまく時期で、芽が出ていないだけなのかもしれない。

枯れ果てた畑だとしても、あきらめずに手をかけて愛情を注ぎ続ければ、きっといつか芽は出てくれる。「ありがとう」という名の実を実らせるため、今はただひたすら種をまき続けるべきなのかもしれない。

僕は、手にしているクッキーを口に運んだ。

その味は、今まで味わったことのない、希望がみなぎる味だった。

＊＊＊＊＊

夕方6時を過ぎると、気温はみるみる下がり始めた。

3月にしてはとても肌寒く、風はまるで真冬のように冷たい。

屋外にいるゲストたちは、床に敷くビニールシートで身を包み、寒さをしのいでいる。

義兄さんと出会えないまま、僕はパークの中を歩いていた。

今すぐにでも、宮城へ向かいたい。とはいえ、ここでさえ帰宅できない人が溢れているというのに、震源地に近い宮城へ今行くことなど、できるはずもない。

そんな行き場のない感情を、早く義兄さんと共感し合いたかった。

僕は、ズボンのポケットに入れたままとなっていた携帯電話を取り出し、人気のないところで再び実家に電話をかけた。こんなことは、入社してから5年の間、一度もしたことがなかった。

実家は、呼び出し音すら鳴らず、やはり電話はつながらなかった。

すると、腰につけている無線が鳴った。

ディズニー「ランド」へ来園していたゲストを、ランドより早く安全確認が完了した「シー」の避難場所へ移動してもらうことになったという。

今日の来園者数は、ランドとシーを合わせて7万人だが、そのうちの2万人がここで一夜を明かすことになりそうだ……と。

ここは宿泊施設でもなければ、温かい布団が用意されているわけでもない。もはや「遊園地」に2万人が泊まるなど、そんな前例は聞いたことがない。

こんな環境の中で、僕らはいったいどんな接客をすればいいというのだろう。不安を抱えるゲストの対応をはじめ、本当に問題なく一晩過ごすことができるのだろうか。

また、「ランド」から「シー」へ移動するゲストは、およそ1500人とのこと。大勢のゲストたちを誘導するため、ファンタジーランドへ集合するよう求められた。

通常、ファンタジーランドにある通路は、従業員専用である。ゲストには絶対に見せることのない「バックステージ」と呼ばれる通路だ。

けれど、ランドからシーへ行くには、液状化した危険な道をゲストに歩かせなければならないため、ファンタジーランドにある従業員専用通路を案内することとなったらしい。

社長自らがリーダーとなり、指示を出している地震対策統括本部は、開園28年目にして初めての決断を下したのだ。

僕は、指示通りファンタジーランドへ向かった。

義兄さんに会えるか会えないかも分からないし、実家に電話をかけるたび、不安は膨《ふく》らむばかり……今は、何かに集中して気を紛らわしたいと思った。

ランドに来園していたゲストを、無事にシーの避難場所へ誘導した僕らは、いよいよ前例のない夜を迎えた。

避難場所となったアトラクションの通路をはじめ、シアターの座席、レストランの床など、安全を確保したスペースにゲストを収容したものの、2万人全員が室内に入りきれたわけではない。すでに気温は4度まで下がっているにもかかわらず、屋外で避難しているゲストも数多くいる。

そのようなゲストたちは、大きなブルーシートを頭から覆い、柱のないテントのご

と く、その中で体を寄せ合い、寒さをしのいでいるのだ。

すると、「寒さをしのぐため、使える物はすべて使おう」と、先輩キャストが言った。そうは言っても、体を保温できそうなものと言えば、ポリエチレンでできた使い捨ての手袋や、おみやげを入れる袋などしかない。

手当たり次第、僕たちはそれらを配り歩いた。

空腹をしのぐため、お菓子や飲み物を配っているキャストもいる。

ショップの棚がこんなにもガラガラになっている状態を見るのは、入社して以来初めてのことだった。

何もかもが、前例のない「手さぐり状態なおもてなし」だった。

それにしても、商品をこれでもかと配ることができるのは、やはり「ディズニー」という組織が大きいからだろうか。

うちの実家のように、いくら老舗と言われる旅館でも、細々と営んでいる小さな組織には、決して真似のできないサービスと言える。

すると、ランドから移動してきた70代と思われる女性のゲストが、体調不良を訴えてきた。

僕と共におみやげ袋を配っていた先輩キャストが、お婆さんから体調について詳しい話を聞くと、特に持病があるわけではなく、今朝も変わりなく元気だったという。

おそらく、極度の不安や気温の変化などにより、精神的に疲れてしまったのだろう。

お婆さんの話を聞いた先輩は、「気分転換しましょうか」と優しく声をかけ、手にしていたおみやげ袋を指さして「この中に『隠れミッキー』がいるのはご存じですか？」と言った。

お婆さんは、一緒に来ていたお孫さんと共に『隠れミッキー』を探し始めた。

お孫さんが「あった！」と見つけると、お婆さんは「まぁ、ほんと。こんなところに」と言って微笑んだ。

不安な気持ちを少しでも紛らわすため、先輩はとっさに身近なものを活用したのだ。

そして、その様子を見ていた他のキャストは、周囲のゲストたちに大きな声で呼びかけた。

「皆さーん、ゆっくり立ち上がって、軽く運動をしませんか?」

長時間同じ体勢で座り続けることにより、具合が悪くなってしまう場合もある。そんな状態を避けるためにも、キャストは軽い運動を提案した。

その掛け声を聞いた周囲のゲストたちは、その場でゆっくり立ち上がり、肩を回したり、ひざを伸ばしたりして、せまいスペースでも可能な運動をし始めた。

それにより、「少し体がポカポカしてきたわ」と、笑顔で話しかけてくれるゲストの姿も見られた。

しかし、小さなお子さんの中には、この異様な環境を受け止めきれず、寒さをしのぐことで精一杯な様子も見受けられる。

そんな様子を察した女性キャストが、バックステージからダンボールの箱を持ってきた。そして優しくお子さんを抱き上げ、その箱の中に入れてあげた。

お子さんは、みるみる明るい表情となり、「さっきよりずっとあったかい……。おねえさん、ありがとう！」と言った。

従業員専用通路と同様、絶対に見せてはいけないダンボールの箱を出してきた女性キャストに、僕は「こんなことして、大丈夫でしょうか？」と尋ねた。

すると、彼女は自信満々にこう答えた。

「大丈夫です。本当に守るべきものは『前例』ではなく、ゲストの『安全』だから……」

僕は、その言葉を聞き、改めてパークの中を見渡した。

あちらこちらには、常に新しい交通情報が張り出されている。

ゲストの不安を少しでも解消するため、キャストがコツコツと張り替えているのだ。

普段は絶対に見せないダンボールと同じく、青いゴミ袋をバックステージから持っ

てきているキャストもいる。そのゴミ袋の端を切り、頭からかぶれるように工夫までしている。

　また、ポリエチレンでできている使い捨ての手袋も、手持ちの分では配り足らず、業務用の箱ごと持ち出して配っているキャストもいる。

　一人一人のキャストが、誰かの指示があったわけでもなく、自ら行動を起こしているのだ。


　すべては、ゲストの安全と安心のため――。


　ディズニーには、「前例」や「想定外」という言葉は存在しないのかもしれない。惜しみなく商品を配ることも、ただ組織が大きいからできることではなく、上司も部下も平等に信じ合うことによって、一貫性のあるサービスを提供することができているのだ。

　キャスト同士を結ぶ絆が、マニュアルを超えた「真のおもてなし」を実現しているのかもしれない。

僕は、幼い頃から両親に言われていた言葉を思い出した。

『おもてなしを重ねると、お客様との間に絆の糸が結ばれる。絆の糸は、どんなに離れていてもつながっているから、「また来たい」「また会いたい」と、互いが引き寄せられ、まるで目に見えない糸電話のように心が通じ合えるんだよ』

古くさい旅館だから、細かいことにこだわってお客をつなぎとめているのだと思っていた。

大した利益にもならないのに、時間ばかりかけてもてなしているのだと……。

でも、ここにいるキャストたちは、僕が幼い頃から言われていたことを実行し、そして絆の糸でつながっている。

目に見えない糸電話で語り合っているかのように、言葉を掛け合わなくても意思の疎通《そつう》ができている。

僕は、実家の旅館を「やりがいのない仕事」だなんて思っていたことを後悔した。

長年、継続されてきたのは、奇跡なんかじゃなかった。

真心を込めてお客様と向き合い続けてきたことで、奇跡を起こしていたのだ。

両親は、築いてきた大切な絆の糸を、自分に託してくれようとしていたのかもしれない。それなのに、僕はその糸を断ち切り、東京へ出てきてしまった。

愛情を込めて真のおもてなしを教えてくれていた両親に、僕は心から「ありがとう」を伝えたい……と思った。しかし、このまま一生言えないままだったらどうしよう。

そして、旅館が倒壊していたらどうしよう。

いや、どんな苦境を迎えようと、絆があればやり直すことはできる。

何度でも、何度でも、生きている限り僕らはやり直すことができる。

失いかけている信頼も、あきらめずに真心を伝え続ければ、お客様はきっといつか振り返ってくれる。そして、「また来たい」「また会いたい」と思ってくれる。

義兄さんに会ったら、こう伝えよう。「一緒に帰ろう」……と。

僕は、着ていたジャケットの襟を整え、「今、自分にできること」を考えた。

ここで教えられた「おもてなし」のすべてを、全力で尽くそうと心に決めた。

＊＊＊＊＊

辺りはすっかり暗くなり、とうに夕食の時間を過ぎていた。

さすがに空腹を感じたゲストたちは、手にしているお菓子を次々にあけ始めた。

そんな矢先、夕食が配布されるという情報が入った。

真希にも連絡がつかず、亮介にもまだ会えていない僕は、正直食欲が湧かなかった。

食事と言ったって、どうせ宇宙食のように乾燥した「食事らしきもの」だろうと、卑屈な考えすら湧いていた。

すると、共に避難していた金田が、「ようやく温かいものにありつけますね」と言った。

僕は、「こんな状況にもかかわらず、しかも2万人近いゲストに、温かい食事など出せるものなんですか？」と、金田に質問を投げかけた。

金田は、笑顔で「ええ」と言った。そして、ディズニーの信じられない準備について教えてくれた。

「ディズニーでは、5万人が3日間困らない非常食が用意されているんです。お湯をかけて15分待てば、温かい『大豆ひじきごはん』が完成するんですよ」

数十分後、金田の言う通り、避難しているゲストたちに温かい食事が提供された。

ディズニーには不釣り合いな和風ではあるが、気力を失いかけている今の僕たちには、この上ないエネルギーとなった。

こんなにも、温かい食事をありがたい……と感じたのは、いつ振りだろう。

しかも、ゲストが並ぶのではなく、キャストがゲストに配り歩いている。

そうすることで、均等に分け与えることができるのだと金田は言う。

「並ばなければ、もらえない」という当たり前の常識を、僕はくつがえされた。
温かい食事もいただき、ゲストたちもだいぶ落ち着いてきた様子だ。
そして僕は、ふと真希から送られてきたメールのことを思い出した。
『針』とだけ書かれた一文字のメッセージ。
いったい、真希は何を伝えようとしているのだろうか。
相変わらず、電話も通じなければ、メールも「送信完了」が表示されない。
無事かどうかだけでも確認したいものの、それを一言で送れる言葉が見つからない。
すると、昼間出会った迷子の女の子が、僕のところへ近づいてきた。

「ねえ、おじさん。これ付けて」

そういうと、女の子は僕の手のひらにポトンと何かを置いた。
それは、この子が転んだ際、洋服の袖から取れてしまったミッキーマウスのボタンだった。

確かに、「あとで付けてあげる」と約束した。もちろん、気休めではなく、本当に付けてあげようと思っていたのだが、はぐれた母親と会えた様子を見て、そんな約束はもう忘れているものだと思っていた。

うちの旅館では、お客様のボタンが取れたり、裾《すそ》が破れたりした際、その場ですぐに直せるよう従業員全員が携帯用の裁縫《さいほう》セットを持たされている。

なぜなら、観光で訪れた方の多くは、たくさんの写真を撮られるため、思い出の写真に最高の笑顔で写ってもらうためにも、古くから代々続けられている習慣なのだ。

真希が用意してくれた僕の旅行バッグの中にも、いつも通り裁縫セットが入っていた。だから、女の子に「ボタンを付けてあげる」と言ったのも、いつものクセのような感覚だった。

持ち歩いていたポーチから、手のひらの半分ほどの裁縫セットを取り出すと、横にいたお婆さんが「あら、懐かしい」と言った。

僕は、「同じものを持っているのかな」と思いつつ、ミッキーマウスのボタンを、女の子のブラウスの袖に縫い始めた。

すると、お婆さんは「私たちの時代は、お守りのように持ち歩いたもんでね」と言った。

その言葉を聞き、僕はハッとした。


必ず持ち歩くもの……。

習慣的に身に付けているもの……。


そうだ、真希の記す『針』とは、この裁縫セットのことかもしれない。

僕は、ミッキーマウスのボタンを付け終わると、裁縫セットの中身を全部取り出した。

女の子は、「おじさん、何してるの?」と言ってきた。

「大切なヒントを探してるんだよ」と言うと、「ふーん」と不思議そうな顔をしたのち、「ボタンを付けてくれてありがとう」と満面な笑顔で礼を告げ、母親のところへ戻って行った。

糸と針をはじめ、小さな裁縫セットの中からすべてのものを出した。

しかし、何かヒントとなるものは見当たらない。

空となった、ただの小さな袋である。

念のため、袋の中に人差し指を入れ、探ってみた。

すると、内側のポケットに、何か違和感を覚えた。

薄い布の内ポケットを広げてみると、中に名刺ほどのカードが入っている。

僕は、カードを傷つけないよう、そっと取り出した。

そこには、僕の想像を超えた「真希の真意」が書かれてあった。


『パパと出会えた奇跡に、心から感謝しています。

今は嵐みたいに大変だけど、嵐は必ず去っていきます。だから、どんなに大変でも、支え合って生きていこうね。

生きていれば、心から笑える日が再び訪れると信じています。

幸せも、苦労も、笑顔も、涙も、半分ずつ分け合って生きていこうね。
パパが存在してくれているだけで、私は幸せです！　真希』

真希のメッセージには、ただただ『共に生きること』を願う想いが込められていた。

もしかしたら、真希は僕が死のうとしていることを察していたのかもしれない……。

そして、どこかのタイミングで、このメッセージのことを僕に伝えようと思っていたのかもしれない……。

僕は、昨日までの自分を叱ってやりたかった。
死を選ぶことで、家族が救えると思い込んでいた自分を、叱ってやりたかった。
今、僕がやるべきことは、ただひとつ——。
命をかけて責任を取るのではなく、命をかけて家族を守るのだ。
一生懸命に生きることで、奇跡を起こすことができるかもしれない。

多額の資金などなくとも、旅館を再生することはできるかもしれない。

たとえ柱一本残ってなかったとしても、命があれば希望を持つことができる。

命ある限り、僕らは希望の光を見つけることができるのだ。

5年前、真希と共に旅館を継ぐことを決意した時、二人で交わした約束を僕は思い出した。

お客様に、「いってらっしゃい」「おかえりなさい」と言える空間を作ろうね……と。

訪れた人すべてに、素敵な思い出を作ってもらいたいね……と。

そして、一人でも多くの人を笑顔にしたいね……と。

人は、生きているだけで価値がある。

人は、人に生きる希望を与えられる。

ボタン1つ付けることでも、人を笑顔にすることができるのに、僕はそんな初心を忘れていた。

僕は今、生きている。

今日の日を絶対に忘れることなく、これからも生きていく。

真希と舞と共に、そして家族同然の従業員と共に、支え合い、認め合い、許し合い、「明日」を迎えるために僕は生きていく。


翌朝6時、ディズニーシーで一夜を過ごした僕は、白んできた空を見上げながら、真希にメールを送った。

たった5文字の言葉をメールに託し、届くまで送り続けた。

そして、届くことを強く願ったそのメールは、太陽が顔を出すと共に「送信完了」を知らせてくれた。


『ありがとう』

朝になり、僕が避難しているレストランを訪れた亮介は、互いの無事を確認すると同時に、「一緒に帰ろう、義兄さん」と言った。

爽快な笑顔で語る亮介を、もはや止める自分はいなかった。

僕らは、「あるべき姿」で旅館を立て直すことを約束した。

その様子を見ていた金田は、心を込めて「よかったですね」と言ってくれた。「遠回りしちゃいました」と、はにかむ亮介に、金田は「意味のない道なんてありませんよ」と言った。

亮介が歩んできた道のりも、僕が歩んできた道のりも、決して遠回りではない。あるべき姿に戻るため、通るべくして歩んできた道なのだ。

亮介も僕も、生きている「今日」に感謝して、宮城へ帰る手段を探すことにした。

頭部を守るために配られたダッフィーのぬいぐるみは、ゲストの安全が確保されたのち回収された。もちろん、棚に戻されることもなく、購入することができない。

変わり果てた町で、舞に生きる希望を与えるため、どうしても買って帰ってあげたい……。そんな思いを亮介に話していると、一組の母子が僕に声をかけてきた。

「あのぉ、これでよければお譲りしますよ」と、地震が起きる前に購入していたダッフィーを差し出してくれたのだ。

家には、前に買ったもう1つダッフィーがあるため、遠慮なくどうぞ……と。

僕は、心からありがたいと思い、そのご厚意を受け入れた。

僕がディズニーシーを訪れたことは、まさに奇跡だったのかもしれない。

そして、ディズニーはおもてなしによって、僕らに奇跡を起こしてくれた。

2011年4月15日

東日本一帯に被害をもたらした、東北地方太平洋沖地震。

その被害によって、ディズニーリゾートは約1カ月間休園した。

そして今日、パークに再び春が訪れた。

満開の桜と共に、待ちに待った再開を迎えられたのだ。

ゲストの安全を守るため、一部のアトラクションはまだ作動させていないものの、この日を待ちわびてパークに集まったゲストは、1万人にも及んだ。

ミッキーとの再会を待ちきれず、入場ゲートを抜けると同時に駆《か》け足で中央の広場へ行くゲストもいれば、顔なじみのキャストと手を取り合い、歓喜を伝えているゲストもいる。

「あんなにも恐ろしい思いをしたにもかかわらず、再び訪れようと思ったのは、いったいなぜですか?」という質問を投げかけた記者に対し、ゲストは迷わずこう答えた。

「キャストに、『ありがとう』を伝えたかったからです」

あの日、僕らを襲った恐怖と不安は、一生忘れることはないだろう。

しかし、そんな思いと同じく、マニュアルを超えた「真心を込めたおもてなし」を提供してくれたキャストたちへの感謝も、一生忘れることはないと言える。

ディズニーにとっては、あの大惨事に対するおもてなしも「想定内」だったのだ。宮城で旅館を営む健太郎と亮介も、おもてなしを通じて家族の愛と絆を再確認することができた。そして、二人は共に宮城へ帰り、無事に家族と再会することができたという。

もしもウォルトが生きていたら、きっと今回のキャストの対応を、心から誇りに思っただろう。彼が残した言葉の中に、このような思想がある。

『達成したものはすべて力を合わせた結果である。組織がなければ何もできない。組織の中では、各個人に対し敬意が払われているし、我々は大衆に対し敬意を抱いている』

一見、「組織」という言葉は窮屈《きゅうくつ》なようにも感じる。しかし、互いを信じ合い、褒め合い、許し合う関係が継続できたとしたら、どれほどの幸福を感じることができるだろう。

生きていることを実感し、必要とされることの喜びを、日々感じることができる。

互いの存在を認め合う「感謝の合言葉『ありがとう』」で溢れる世界を、ウォルトは全身全霊で創造した。

『イット・テイクス・ピープル
人は、誰でも世界中で最も素晴らしい場所を夢に見、創造し、デザインし、建設することはできる。しかし、それを現実のものとするのは、人である』

ディズニーランドやシーに訪れた人が「また行きたい」と思うのは、とても自然なことだと言える。

なぜなら、ゲストをもてなすキャスト自身が、愛に溢れた「あるべき姿」だから……。

求められていることに応えるだけではなく、その一歩先のおもてなしを提供することにより、ゲスト自身も「あるべき姿」になることができるのだ。

「愛」と「おもてなし」がイコールの夢の国は、徹底した教育によって作られている。

また、キャストは、ゲストからの「ありがとう」に感動し、一回りも二回りも大きくなる。涙を流した数だけ、成長するのである。

再開したパークの中では、数えきれないほどの「ありがとう」が飛び交っていた。

そして、キャストとゲストが再会したその瞬間、辺り一帯に「絆の糸」が結ばれた。

求め合うことで結ばれた絆は、心と心を結ぶ糸電話となって、永遠につながり続ける。

感謝を忘れず、信じることを恐れず、僕らはこの言葉を伝えていこう。

「今日」という奇跡に、ありがとう――。

「未来」という希望に、ありがとう――。

おわりに——〝ありがとうの神様〟から託されたもの

『ディズニーランドは完成することがない。世界に想像力がある限り、成長し続けるだろう』

——ウォルト・ディズニー

私は、今も年間パスポートを手に何度もパークに足を運びます。

遊びに行くというよりも、もうひとつの我が家に帰るような、心許せる仲間や家族の温もりに溶け込んでいくような感覚。

けれど、もしもパークが、ただの「昔の職場」にしか過ぎなかったら。そんなふうに足を運ぶことも、心がやすらぐこともないでしょう。そして、こんなふうにも思います。

きっと多くのゲストも、ただアトラクションやパレードを楽しんだり、キャラクターたちに会うためだけにディズニーリゾートを訪れているわけではないのだと。

年間2600万人以上ものゲストが訪れ、リピート率9割以上と言われる秘密もここにあります。じつは、私たちは、それよりももっと大切な目には見えない「ハピネス（幸福感）」を、みんなで分かち合うためにパークに何度も足を運んでいるのかもしれません。


私が、最初にディズニーの「ハピネス（幸福感）」というピクシー・ダスト（妖精の粉）をふりかけられたのは26歳のとき。3年ローンを組み、はじめての海外旅行で訪れたロサンゼルス近郊のアナハイムにあるディズニーランドでのことでした。

カリフォルニアの青い空のもとで、キャストもゲストも、みんなが笑顔。心がフワフワと飛び立つように軽くなり、花壇の草花までもが私に微笑みかけてくれている。「こんな夢のような場所があったのか……」と衝撃を受けたのです。そして興奮冷めやらぬまま帰国して、しばらく経ったとき。運命のニュースが流れました。「日本にディズニーランドが上陸！」。そして、採用が決まってもいないのに勤めていた商社を辞めて、5回もの挑戦の末、やっと入社を許され東京ディズニーランドをつくる一員になれた夢をかなえるまでの冒険は、第一作『ディズニーそうじの神様が教えてくれたこと』でも描きました。

自分の手で、たくさんの人に「夢と魔法」を感じてもらいたい。そんな衝動にかられてアメリカのディズニー本社にこんな手紙も書きました。

「私を採用した暁《あかつき》には、世界でいちばん美しいパークにする自信がある」

もちろん、そのときは、何の根拠も経験もありません。それでも、アナハイムでウォルト・ディズニーの夢が詰まったディズニーランドからもらった「想像力」は、私に未だ見ぬ世界へと突き動かす力を授《さず》けてくれたのです。

『夢を求め続ける勇気さえあれば、すべての夢は必ず実現できる』

かつてディズニー創始者ウォルト・ディズニーが、そう力強く語ったように、自分を信じ、この世界を信じて前に進めば、必ず何かが変わる。そしてお金やモノではない、一生大切にしたくなるような〝宝物〟を手にすることができる。

それこそが「ディズニーの神様シリーズ三部作」を通して描きたかったことでした。

私が、東京ディズニーランドで初代ナイトカストーディアル（夜間の清掃部門）スーパーバイザーとして仕事をはじめたとき。ミッキーもミニーもいない、ゲストの歓声もない、静けさが支配する深夜のパークでの仕事は、ときに孤独でした。

救いは、朝になると会える、そうじの神様ことチャック・ボヤージン氏からの「Good Job! Excellent!」の一言。

月明かりに照らされながら、仲間たちと、ただひたすら「毎日まっさらなパークをつくる」、それだけを目指し隅々まで磨きました。でも、それは同時に、とても自由で爽快なことでした。他人の目も評価も気にせず、純粋に自分の理想とする最高の仕事に没頭できるのです。そして、また次の日には、自分たちが磨き上げた舞台で、たくさんのゲストとキャストの交歓がはじまる——。

そこで生まれる、ゲストからキャストへ、キャストからゲストへ、そしてゲスト同士の「ありがとう」の喜びを感じられることが、何よりの宝物。だって、その舞台を用意しているのは自分たちだったのですから。

この本の第1話が完成したとき、「試し読み版」を作って私が講師を務める企業研修（CS研修）等でお配りしました。すると、9割以上の方から「胸がギュッとなり涙がこぼれました」「大切な何かに触れ、涙が滲《にじ》みました」といった感想を頂戴し、とても驚いたと共に、ディズニーの精神には、人々の心を揺り動かす普遍的な力があることを、改めて実感しました。

自分にできることなんて限られている。自分が必要とされている場所なんてない。

そんなふうに、多くの人があきらめがちな今だからこそ思うのです。どんな場所にいても、ほんの少し勇気を出して自分から一歩を踏み出し、まわりの誰かに、ちっぽけでもいいから手を差し伸べる。手を差し伸べられた人は、小さな声でもいいから「ありがとう」と伝えてみる。

きっと、そんな姿をディズニーの『ありがとうの神様』が、ずっと見守ってくれているでしょう。

誰もが必要とされ、誰もが互いの存在に感謝できる。そんな世界は〝夢〟なのでしょうか？　いいえ。本当は、私たちのすぐ傍にあります。

どんなことがあっても、絶対に消えることがないもの。

どんなときにも、そのことを思うだけで前に進む勇気を与えてくれるもの。

この本は、そんな、すごい魔法が詰まった「ありがとう」をディズニーの『ありがとうの神様』から、みなさんに届けるためにつくりました。

最後に、『ディズニーそうじの神様が教えてくれたこと』『ディズニーサービスの神様が教えてくれたこと』同様、本書を著すにあたり、素晴らしいパートナーとなった瀧森古都さんの構想力に敬意を表すると同時にあらためて深く感謝したいと思います。また、編集協力を頂いたふみぐら社さん、デザイナーの長坂勇司さん、イラストレーターのあさのけいこさん、弊社スタッフの白石照美さん、ソフトバンククリエイティブ編集長の吉尾太一さんにも、心から「ありがとう!」と言いたいと思います。

そして、この世界でつながっている、かけがえのないみんなに「ありがとう!」

今度はパークでお会いしましょう。

参考文献

『ウォルト・ディズニーがくれた夢と勇気の言葉160』(ぴあ)
『ウォルト・ディズニーの言葉』(ぴあ)
『ディズニーの絆力』(アスコム)

※本書は筆者自らの経験に基づいて創作された物語であり、実在の人物・団体とは関係がありません。

鎌田 洋（かまた ひろし）

1950年、宮城県生まれ。商社、ハウスメーカー勤務を経て、1982年、(株)オリエンタルランド入社。東京ディズニーランドオープンに伴い、初代ナイトカストーディアル（夜間の清掃部門）・トレーナー兼エリアスーパーバイザーとして、ナイトカストーディアル・キャストを育成する。その間、ウォルト・ディズニーがこよなく信頼を寄せていた、アメリカのディズニーランドの初代カストーディアル・マネージャー、チャック・ボヤージン氏から2年間にわたり直接指導を受ける。その後、デイカストーディアルとしてディズニーのクオリティ・サービスを実践した後、1990年、ディズニー・ユニバーシティ（教育部門）にて、教育部長代理としてオリエンタルランド全スタッフを指導、育成する。1997年、(株)フランクリン・コヴィー・ジャパン代表取締役副社長を経て、1999年、(株)ヴィジョナリー・ジャパンを設立、代表取締役に就任。著書に『ディズニーそうじの神様が教えてくれたこと』『ディズニーサービスの神様が教えてくれたこと』（共に、ソフトバンククリエイティブ)、『ディズニーの絆力』（アスコム）がある。

ディズニー ありがとうの神様《かみさま》が教《おし》えてくれたこと

2013年4月18日　初版第1刷発行

著者　鎌田 洋
発行者　小川 淳
発行所　ソフトバンククリエイティブ株式会社
〒106-0032　東京都港区六本木2-4-5
電話03(5549)1201（営業部）

装丁・本文デザイン　長坂勇司
イラスト　あさのけいこ
取材・構成　瀧森古都
編集協力　ふみぐら社
編集担当　吉尾太一
組版　朝日メディアインターナショナル株式会社
印刷・製本　中央精版印刷株式会社

ISBN978-4-7973-7291-5